LE MONDE
EST MON LANGAGE

DU MÊME AUTEUR

ROMANS

Bleu Blanc Rouge, Présence Africaine, 1998. Grand Prix littéraire de l'Afrique noire.

Et Dieu seul sait comment je dors, Présence Africaine, 2001.

Les Petits-fils nègres de Vercingétorix, Le Serpent à Plumes, 2002 ; Points, 2006.

African psycho, Le Serpent à Plumes, 2003 ; Points, 2006.

Verre Cassé, Seuil, 2005 ; Points, 2006. Prix Ouest-France/ Étonnants Voyageurs ; Prix des Cinq Continents de la Francophonie ; Prix RFO du livre.

Mémoires de porc-épic, Seuil, 2006 ; Points, 2007. Prix Renaudot.

Black Bazar, Seuil, 2009 ; Points, 2010. (Disponible en livre audio, lu par Paul Borne.)

Demain j'aurai vingt ans, Gallimard, 2010 ; Folio, 2012, préface de J.M.G. Le Clézio. Prix Georges Brassens. (Disponible en livre audio, lu par l'auteur.)

Tais-toi et meurs, Éd. de la Branche, 2012 ; Pocket, 2014.

Lumières de Pointe-Noire, Seuil, Coll. Fiction & Cie, 2013 ; Points, 2014. Prix de la Fondation Prince Pierre de Monaco 2013. (Disponible en livre audio, lu par l'auteur.)

Petit piment, Seuil, Coll. Fiction & Cie, 2015.

(suite en fin d'ouvrage)

ALAIN MABANCKOU

LE MONDE EST MON LANGAGE

BERNARD GRASSET

PARIS

Photo de la jaquette : JF Paga © Grasset, 2016.

ISBN : 978-2-246-80219-8

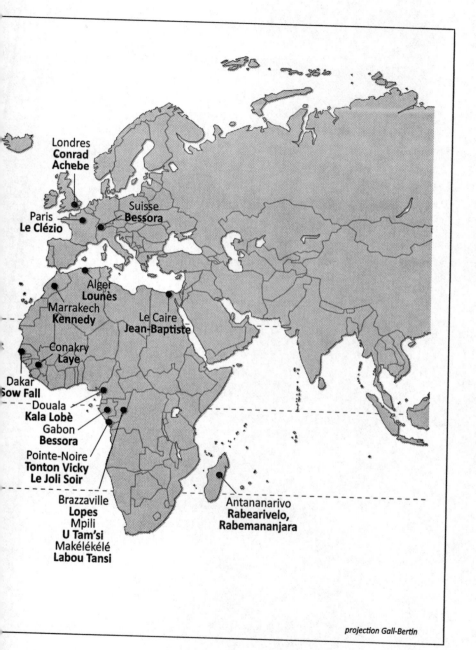

Londres
**Conrad
Achebe**

Paris
Le Clézio

Suisse
Bessora

Alger
Lounès

Marrakech
Kennedy

Le Caire
Jean-Baptiste

Conakry
Laye

Dakar
Sow Fall

Douala
Kala Lobè

Gabon
Bessora

Pointe-Noire
**Tonton Vicky
Le Joli Soir**

Brazzaville
Lopes
Mpili
U Tam'si
Makélékélé
Labou Tansi

Antananarivo
**Rabearivelo,
Rabemananjara**

projection Gall-Bertin

Le monde est mon langage

J'ai choisi depuis longtemps de ne pas m'enfermer, de ne pas considérer les choses de manière figée, mais de prêter plutôt l'oreille à la rumeur du monde.

Je ne suis pas devenu écrivain parce que j'ai quitté mon pays natal. En revanche, j'ai posé un autre regard sur celui-ci une fois que je m'en suis éloigné.

Dans mes premiers écrits – ébauchés pour la plupart dans ma ville d'enfance, Pointe-Noire, au Congo-Brazzaville – j'avais le sentiment qu'il manquait des pièces et que mes personnages, cloîtrés, me réclamaient plus d'espace. Le déplacement a contribué à renforcer en moi cette inquiétude qui fonde à mes yeux toute démarche de création : on écrit peut-être parce que « quelque chose ne tourne pas rond », parce qu'on voudrait remuer les montagnes ou introduire un éléphant dans le chas d'une aiguille. L'écriture devient alors à la fois un enracinement, un appel dans la nuit et une oreille tendue vers l'horizon...

Né donc au Congo-Brazzaville, j'ai passé une bonne partie de ma jeunesse en Europe avant de m'installer en Amérique. Trois continents dont je ne cesse de chercher le point d'intersection aussi bien dans ma vie quotidienne que dans mon imaginaire.

Le Congo est le lieu du cordon ombilical, la France la patrie d'adoption de mes rêves, et l'Amérique un coin depuis lequel je regarde les empreintes de mon errance. Ces trois espaces géographiques sont si soudés qu'il m'arrive d'oublier dans quel continent je me couche et dans lequel j'écris mes livres.

Le monde est ainsi mon langage. Ce monde, je l'ai découvert par le biais de la langue française grâce à ceux qui la magnifient, quels que soient leurs origines, leur patrie, leur accent ou leur accoutrement. Il m'est arrivé de connaître personnellement ces «ambassadeurs» en dehors de leurs œuvres ou, pour certains, de ne les aborder qu'à travers celles-ci avant qu'ils ne deviennent enfin des confidents, des compagnons, des guides, des amis, des collègues ou des créateurs pour qui mon estime n'aura plus de limites. Et même s'ils parlent ou créent dans une langue différente de la mienne, un jour ou l'autre ils sont tombés amoureux de celle que j'utilise comme écrivain, et cela a suffi pour que naisse entre nous un véritable lien de parenté...

Je considère les rencontres insolites, les lieux, les voyages, les auteurs et l'écriture comme un moyen de féconder un humanisme où l'imaginaire serait aussi bariolé que l'arc-en-ciel et nous pousserait à nous remettre en question. Le défi consiste à rapporter de nos différentes «apparte-nances» ce qui pourrait édifier positivement un destin commun et assumé. En somme, pour reprendre Amin Maalouf, « chacun devrait pouvoir inclure dans ce qu'il estime être son identité, une composante nouvelle, appelée à prendre de plus en plus d'importance au cours du nouveau siècle, du nouveau millénaire : le sentiment d'appartenir aussi à l'aventure humaine[1]. »

Tel est, au fond, le sens que je donne à ce livre qu'il faudra parcourir comme une autobiographie capricieuse élaborée grâce au regard des uns et des autres, et à celui que je porte sur eux...

---

1. Amin Maalouf, *Les identités meurtrières*, Grasset, 1998.

PARIS

> «Si je n'avais pas eu cette connaissance
> charnelle de l'Afrique, si je n'avais pas reçu
> cet héritage de ma vie avant ma naissance,
> que serais-je devenu?»
>
> J.M.G. Le Clézio, *L'Africain*

Il rajuste le col de sa chemise blanche en lin puis regarde droit devant lui comme s'il fixait un point précis au fond de la salle.

En réalité il est désorienté par cette affluence exceptionnelle dans l'Auditorium du Louvre, et surtout par la présence des photographes et des caméras braquées vers lui.

Une dame d'un certain âge assise à ma gauche se penche soudain vers moi:

– Monsieur, vous ne trouvez pas que notre orateur ressemble à un acteur américain?

Pour l'inciter au silence je lui réponds:

– Vous avez raison, il ressemble beaucoup à Sidney Poitier dans *Devine qui vient dîner...*

Elle écarquille les yeux:

– Vous plaisantez ou quoi ? Sidney Poitier est noir, Le Clézio est blanc !

Plus que contrariée, elle remue la tête, croise les bras et ne quitte plus des yeux le conférencier qui, à aucun moment, ne consulte ses notes...

Durant les deux mois écoulés, à travers des rencontres avec des artistes et des écrivains, des conférences, de la musique, du cinéma et du théâtre, l'exposition « Les musées sont des mondes » a proposé dans la salle de la Chapelle du Louvre de découvrir les cultures d'Haïti, du Vanuatu, du Japon du nord, du Nigéria, de la Corée, du Mexique et des États-Unis hispaniques. C'était la rencontre de cultures différentes, très éloignées les unes des autres et qui étaient rassemblées en ces lieux afin d'illustrer combien les langages pouvaient dialoguer. Une traversée qui ressemblait bien au parcours de J.M.G. Le Clézio, initiateur de ce projet, qui livre ce jour l'allocution de clôture.

L'orateur se saisit du verre d'eau posé à sa droite et, d'un geste machinal, le redépose au même endroit.

La lumière blanchâtre provenant du plafond dessine une auréole au-dessus de sa tête et instille une ambiance de catéchisme dans tout l'Auditorium. Sa voix se fait plus grave, confidente et me plonge peu à peu dans une somnolence que j'essaie en vain de contenir – je ne suis arrivé de Los Angeles qu'en fin de matinée, mes bagages sont encore dans les vestiaires de la salle et je commence à payer au prix fort les neuf heures de décalage entre la France et la Californie.

Je sens à présent ma voisine qui me bouscule, me chuchote quelque chose. J'opine de la tête sans pour autant comprendre ce qu'elle dit car je suis déjà loin, très loin dans mon assoupissement, avec un «autre» Le Clézio, celui que je connais, celui que j'ai rencontré il y a quelques années de cela...

*

Dans nos échanges épistolaires, chaque mot provenant de lui était une minuscule parcelle de ces territoires lointains qu'il foulait. Je lisais ses missives avec une curiosité aiguisée, peut-être à cause de leur brièveté qui affectait à chaque mot un pouvoir inouï, laissant au destinataire le soin de compléter ce qu'il y avait derrière les points de suspension. Fallait-il vraiment s'acharner à décortiquer ces silences? Je comprenais de plus en plus la fameuse formule de Guitry: «Lorsqu'on vient d'entendre un morceau de Mozart, le silence qui lui succède est encore de lui[1].»

Alors que j'étais persuadé qu'il m'écrivait de Paris, il m'apprenait qu'il était à Nice, qu'il s'apprêtait à se rendre en Corée où il donnerait des cours de littérature avant de séjourner en île Maurice et de regagner trois jours plus tard son autre domicile du Nouveau-Mexique.

Je recevais donc le plus souvent des messages laconiques. Lorsqu'il était plus «bavard», il célébrait avec

---

1. Sacha Guitry, *Toutes réflexions faites, Cinquante ans d'occupations*, Presse de la Cité, Coll. Omnibus, 1993.

enthousiasme la littérature des Amérindiens, expliquait par exemple comment les Emberá du Panama pouvaient se passer de la littérature écrite dans la mesure où ils possédaient déjà une forme d'expression littéraire riche, appropriée à leurs chants et à leurs mythes. Ce qui, dans mon esprit, rapprochait cette littérature de celle des Bembés, mon groupe ethnique au sud du Congo où la Parole est au-dessus de l'écrit et où la formule « donner sa parole » n'est surtout pas à prendre à la légère. Si vous dites à un Bembé : « Vous avez signé ce papier, vous êtes tenu ! », il vous répondra le plus naturellement du monde : « Je n'ai pas donné ma parole. Un papier se déchire, mais qui d'autre que Dieu pourrait déchirer la Parole ? »

C'est cette littérature qui le fascine et qui oriente en grande partie sa conception de la création. Il a appris d'elle « la retenue et le goût accru pour la forme et une certaine méfiance pour ce qui brille[1] »...

Je revois notre première rencontre, cette après-midi où il me fixa rendez-vous dans son appartement parisien, au dernier étage d'un immeuble ancien de la rue Jacob.

Afin de dominer ma nervosité je réécoutais le message téléphonique dans lequel il m'indiquait l'adresse et la station de métro où je devais descendre. En fait, si je repassais en boucle ce message c'était surtout pour m'accoutumer à cette voix pourtant chaleureuse et tonique, que je jugeais cependant sèche, monotone, distante et trop solennelle.

---

1. Le Clézio, « Les Amérindiens et nous », *Le Nouvel Obs*, 9 octobre 2008.

J'étais arrivé dix minutes à l'avance, et il me charria depuis la porte :

– Vous avez tellement vécu en Amérique que vous avez perdu la dernière coquetterie du genre humain : le privilège du retard...

Pour gagner le salon, nous enjambions des piles de livres que lui envoyaient les éditeurs, et aussi les écrivains qui les lui dédicaçaient avec application. Beaucoup de ces ouvrages lui parvenaient en quatre ou cinq exemplaires dans des envois séparés.

Je manifestai mon étonnement quant à ces stocks de livres. Il ne sembla guère surpris :

– Disons que c'est la routine annuelle... Puisque les éditeurs et les écrivains ne savent pas où je suis, ils multiplient leurs chances : j'ai pratiquement le même nombre de livres dans chacun de mes lieux de résidence. Cela ne me dérange pas du tout, c'est d'ailleurs réconfortant de savoir qu'un livre peut traquer son lecteur dans le monde entier. Et quand je le lis enfin je devine à chaque page son odyssée, les océans qu'il a survolés. Certains s'épuisent à force de voyager, d'autres qui portent en eux le souffle du monde supportent les décalages horaires et bravent les variations climatiques. Ce sont ces derniers qui arrivent jusqu'à moi. Parce qu'ils savent où je me trouve et je sais où les retrouver si par malheur ils se seraient égarés dans leur traversée...

Il m'indiqua une chaise près de la fenêtre qui donnait sur la cour, s'excusa avant de disparaître dans la cuisine et de revenir avec du thé à la menthe.

Bien plus tard, alors que je lui parlais de Brazzaville, puis de Pointe-Noire, la ville de mon enfance, il me suggéra qu'on aille «respirer un peu» et continuer notre «belle conversation» dans un endroit qui lui tient à cœur, «à moins d'un kilomètre» de chez lui.

Nous descendions les escaliers en silence, et j'étais derrière lui. Dans la cour un couple le salua avec déférence, il répondit de la tête. Il poussa la portail en fer, salua de nouveau de la tête une dame qui sortait de l'immeuble d'en face.

Nous longions la rue de Seine, toujours en silence. C'est au croisement de la rue de Tournon avec la rue de Vaugirard, juste après le square Francis-Poulenc que je compris enfin que nous nous rendions au Jardin du Luxembourg...

Une fois à l'intérieur du Jardin, non loin du bassin central dans lequel barbotaient des palmipèdes sous le regard réjoui de quelques bambins, il me montra d'un mouvement de tête un banc à notre gauche :

– C'est là que je m'assieds souvent, je peux rester des heures à regarder la parade de ces canards. Les visiteurs les prennent pour une attraction, mais savent-ils ce que ces oiseaux pensent d'eux ? Nous sommes, hélas, persuadés que le langage humain est au-dessus de tout, que c'est le seul et unique moyen qui permet de percer les mystères de l'univers...

Je l'écoutai évoquer la mémoire de la reine Marie de Médicis, l'initiatrice de ce prodige botanique qualifié par l'écrivain et médecin Jean Bernard de «centre du quadrilatère de la civilisation», et se demander :

– Combien de Parisiens savent que c'est ici qu'on lâchait des marcassins pour que le jeune Louis XIII apprenne la chasse ?

Nous étions assis depuis plus d'une demi-heure.

Il louait à présent le talent de l'écrivain québécois Réjean Ducharme qui vivait, insista-t-il, dans l'anonymat et dont on ne possédait que deux photos :

— Ducharme est l'un des écrivains les plus authentiques de la langue française. Si je dis « authentique » c'est parce qu'il prend les mots à leur racine, il en décortique les nervures afin d'approcher vers une langue brillante, scintillante : celle de la reconquête de soi...

Pris dans l'émotion de son exaltation du « plus grand écrivain québécois », il me cita de mémoire un passage de *L'avalée des avalés* (1966) dans lequel il estimait que Ducharme avait défini sans ambiguïté sa conception de l'Art :

> « Ce matin, en sortant de mon livre, j'éprouvais une délicieuse sensation d'ébriété et d'espace, une grande impatience, un magnifique désir. Tout ce que je demande à un livre, c'est de m'inspirer ainsi de l'énergie et du courage, de me dire ainsi qu'il y a plus de vie que je ne peux en prendre, de me rappeler ainsi l'urgence d'agir. »

— Oui, c'est peut-être cela la vraie fonction de l'écriture, celle que l'on retrouve chez de grands écrivains comme Aimé Césaire ou Primo Levi : *l'urgence d'agir...*

Il se leva, considéra un moment le ciel :

— C'est gris comme temps, vous ne trouvez pas ? Bon, remarquez, ça ne vous concernera plus après-demain puisque vous repartirez pour la Californie...

Il me raccompagna jusqu'à hauteur de la station RER du Luxembourg. Dès qu'il tourna le dos, je ne quittai plus des yeux sa silhouette absorbée peu à peu par cette foule du boulevard Saint-Michel qu'il avait emprunté.

Je ne sus pas pourquoi il m'avait invité et, au fond, cela m'importait peu...

Lors de notre deuxième rencontre à Bruxelles, à l'occasion de la journée que la Belgique consacrait à l'art populaire, je l'aperçus un peu à l'écart du public, confortant cette «légende» de l'homme retiré du monde qu'on lui colle à la peau depuis son premier roman *Le procès-verbal*, paru en 1963, trois années avant ma naissance. Pourtant, une demi-heure plus tard nous marchions dans le quartier Matongé, le cœur de l'Afrique dans la cité bruxelloise. Et c'était comme si nous nous dirigions indirectement vers le continent noir, une terre qui occupe une place importante dans son existence. Une terre qui, d'une certaine manière – il dira «d'une manière certaine» –, fit de lui l'écrivain qu'il est aujourd'hui.

Sur une des façades d'un immeuble vétuste nous admirions une peinture géante de Chéri Samba, un des peintres les plus connus de la République démocratique du Congo. Cette œuvre – qui a été effacée entre-temps – s'étendait presque sur le mur entier. Les couleurs, très vives, tranchaient avec le climat automnal. Nous spéculions sur le temps que cela avait pris à Chéri Samba pour croquer ces personnages africains aux rondeurs exagérées qui me rappelaient les peintures naïves d'Haïti – voire celles que tout voyageur découvre dans les rues d'Abidjan, de Brazzaville, de Cotonou ou dans les salons de coiffure de la plupart des bars du continent noir.

Le Clézio, qui détaillait avec minutie la fresque, se tourna enfin vers moi :

– C'est merveilleux ! Chéri Samba a gravé une autre manière de vivre, une autre façon de regarder l'univers. Par cette œuvre il rappelle aux passants que l'art est avant tout populaire et que bon nombre d'artistes ont oublié qu'il fallait créer pour le « monde »... Pendant cette flânerie improvisée il m'apparut tel un personnage surgi de ses propres romans. Un personnage qui ne parlait pas notre langue. Un personnage qui s'exprimait plutôt dans la langue des peuples de la marginalité, des peuples aplatis par une civilisation prétendument au-dessus des autres et qui a érigé la majorité en unité de mesure. Conscient de cet « impérialisme » linguistique et de la disparition progressive de certaines langues, il s'insurgeait dès les années 1990 :

« Chaque fois qu'une langue meurt, c'est une tragédie qui touche le monde tout entier. Acaxée, zoé, faraon, langues vieilles comme la glaciation du Würm, et que l'intolérable des conquérants espagnols a effacées à jamais du continent américain. »

Nous nous étions également retrouvés en Roumanie pour une table ronde sur les littératures écrites en français « et venues d'ailleurs ».

L'écrivain était alors très préoccupé : il terminait l'écriture d'un roman qui lui tenait à cœur, *Ritournelle de la faim*, dans lequel il retraçait, sous le personnage d'Ethel, la vie de sa mère issue de la noblesse mauricienne et de sa famille qui migra de l'île Maurice à Paris. Était-il habité par cette agitation intérieure du créateur dont l'angoisse commence parfois avec le point final?

Nous n'eûmes pas l'occasion de nous échapper dans un quartier populaire de Bucarest, comme à Bruxelles, mais dans l'avion du retour, nous parlions enfin. De quoi? Encore de cette Afrique qu'il découvrit dès son enfance. Une telle odyssée, on ne peut la raconter dès le premier livre. On bifurque, on prend de la distance, on laisse le temps déposer ses sédiments, puis le passé ressurgit plusieurs décennies après. Et ce passé pour lui, c'est avant tout le père. C'est aussi le Nigéria que l'écrivain magnifiera dans *Onitsha* en 1991. Était-il convaincu d'avoir fait le tour de cette période africaine de son existence? Non, puisqu'il récidivera douze années plus tard avec un autre livre dont le titre ne laissera plus aucun doute quant à ses «racines d'adoption»: *L'Africain*. Il n'était plus ici question de transiter par le biais de la fiction: la manière la plus confortable de regarder son passé étant de l'apercevoir à travers les interstices du récit intime et direct. Le présent se voit et se vit, le passé on le creuse dans le dessein de colmater les brèches, d'amoindrir les failles du présent.

Ainsi, c'est à soixante-quatre ans, dans *L'Africain*, qu'il décidera d'ouvrir les portes et les fenêtres de cette «vie africaine». La sienne? Pas seulement. On croise déjà sa mère qui reviendra dans *Ritournelle de la faim* en 2008, l'année où l'auteur reçut le prix Nobel de littérature. Son frère est aussi présent, mais on suit particulièrement son père qu'il n'avait jamais vu et qu'il rejoint au cœur de la brousse, un monsieur «aux pantalons trop larges et trop courts», comme il le décrira. Et ce monsieur d'ordinaire taciturne et autoritaire consacrera son existence à soigner les lépreux africains.

Le Clézio n'est donc qu'un gamin de huit ans lorsqu'il quitte la « vieille » Europe pour le « cœur des ténèbres » et se confronte au choc des cultures. Afin de mieux séparer son univers occidental de celui qui est en face de lui, le bambin entreprend de décrire dans un cahier d'écolier son Afrique imaginaire. Il le fait pendant son long voyage en bateau. L'imagination est-elle fidèle à ce qu'il verra sur place ? C'est une autre histoire, ce qui importe c'est qu'il vient d'écrire ses tout premiers textes, avec l'Afrique comme personnage principal.

En Afrique, le gamin se joint à ces enfants noirs qui pataugent dans la vase pendant les saisons des pluies. Il approche des rites qualifiés par certains de barbares, de primitifs. Le petit Niçois comprend déjà que le monde ne pourrait être défini par une seule pensée, que toutes les cosmogonies doivent être convoquées. Que chaque langue picore sans cesse quelque chose dans une autre. Que ce que telle langue ne peut définir, une autre pourrait l'exprimer avec justesse, sans l'appui exagéré des adverbes ou des superlatifs. Au Congo-Brazzaville par exemple où il y a plus d'une quarantaine de langues vernaculaires, le français devient une des langues qui irriguent les parlers locaux, et un mot comme *impérialisme* signifie pour mes compatriotes « une manière impériale d'être ou d'agir. Ce qui peut être vu comme une qualité bonne ou mauvaise[1] ».

---

1. Omer Massoumou, « Aspects lexicologiques, syntaxiques et sémantiques du français au Congo », *Le Français en Afrique*, n° 13, 1999.

Grâce au père – et à travers lui, à l'Afrique – Le Clézio prend ainsi conscience de la «subjectivité» de l'identité. Le père, lui, se définit clairement comme africain. Sur son front se lit toute la rage contre le système colonial qui, d'après lui, détruit l'âme et la cosmogonie africaines. Et c'est cette rage qui l'habitera jusqu'à son dernier soupir, cette rage que le fils utilisera comme un passe-partout afin d'entrer dans n'importe quelle civilisation sans présenter de sauf-conduit.

Même s'il n'a vécu que deux années sur le continent noir, Le Clézio considère cette époque comme le point de départ de son ouverture au monde. Ogoja, dans le sud-est du Nigéria, deviendra son refuge de petit garçon, et il l'évoquera abondamment dans *L'Africain*, nous livrant au passage un des portraits les plus émouvants d'une Afrique noire qui n'était plus fictive, fantasmée comme lors de sa traversée sur le bateau, mais bien ancrée dans une réalité qui allait façonner son être :

«Alors les jours d'Ogoja étaient devenus mon trésor secret, le passé lumineux que je ne pouvais pas perdre. Je me souvenais de l'éclat sur la terre rouge, le soleil qui fissurait les routes, la course pieds nus à travers la savane jusqu'aux forteresses des termitières, la montée de l'orage le soir, les nuits bruyantes, criantes, notre chatte qui faisait l'amour avec les tigrillos sur le toit de tuile, la torpeur qui suivait la fièvre, à l'aube, dans le froid qui entrait sous le rideau de la moustiquaire. Toute cette chaleur, cette brûlure, ce frisson. Si je n'avais pas eu cette connaissance charnelle de l'Afrique, si je n'avais pas reçu cet héritage de ma vie avant ma naissance, que serais-je devenu ?...»

Sans l'Afrique, il ne serait ainsi pas le même homme. Ce continent lui ouvrira les yeux sur la souffrance de l'Autre et lui permettra de ne pas cautionner la pensée ambiante : la guerre en Europe, et surtout la probabilité d'aller en Algérie afin de combattre ceux qui demandaient la reconnaissance légitime de leur humanité...

Après m'avoir parlé du continent noir, dans ce qui m'apparaissait déjà comme la plus longue conversation que nous ayons eue jusqu'alors, il m'entraîna dans un autre territoire que nous avions en commun : l'Amérique. Il y habitait depuis plusieurs décennies. Il perçoit cet espace dans son ensemble et ne s'arrête pas au nord comme moi. Une certaine passion mexicaine l'obsède et son essai *Le rêve mexicain* (1988) résonne comme un cri contre la disparition du monde précolombien, avec en arrière-plan la question de l'environnement. L'État mexicain lui attribuera même l'Aigle aztèque, une des plus hautes distinctions décernées à un étranger, dont le précédent écrivain français à l'avoir reçue était André Malraux.

La pensée des Amérindiens est plus ou moins méconnue en Occident ? Qu'à cela ne tienne, Le Clézio entreprend avec ténacité la traduction de plusieurs textes mythologiques, nous rappelant la richesse de ces autres civilisations, de ces autres langages dans deux ouvrages : *Prophéties du Chilam Balam* (1976) et *Relation de Michoacán* (1984).

Le voilà qui m'embarquait vers l'Océanie. J'avais du mal à masquer mon ignorance devant ces connaissances inépuisables et ces références qu'il avançait avec une aisance stupéfiante.

L'Océanie c'était ce « continent fait de mer plutôt que de terre » et qui avait échappé à l'appétit des conquérants grâce à son « invisibilité ». Si Le Clézio entreprenait ces voyages et ces « récoltes de la Mémoire », c'était parce qu'il avait en tête une question essentielle : comment pourrait-on définir l'universalité sans tenir compte de ces multiples « paroles silencieuses » ? Il reprochait ainsi aux « grandes civilisations » et aux « grandes langues » leur capacité à anéantir les autres imaginaires par leur expansionnisme. Il avait songé d'abord à écrire en anglais, il choisit cependant le français, sans doute dans le dessein de manifester son opposition à la colonisation par les Anglais de l'île Maurice, terre d'émigration de ses ancêtres bretons, et parce qu'on ne choisit pas forcément sa langue :

« J'ai longtemps cru qu'on avait le choix de sa langue. Alors, je rêvais de parler le russe, le nahuatl, l'égyptien. Je rêvais d'écrire en anglais, la langue la plus poétique, la plus douce, la plus sonore. Pour mieux réaliser ce rêve, j'avais entrepris d'apprendre par cœur le dictionnaire, et je récitais de longues listes de mots. Puis j'ai compris que je me trompais. On n'a pas le choix de sa langue. La langue française, parce qu'elle était ma langue maternelle, était une fatalité, une absolue nécessité. Cette langue m'avait recouvert, m'avait enveloppé, elle était en moi jusqu'au tréfonds. Cela n'avait rien à voir avec la connaissance d'un dictionnaire, c'était ma langue, c'est-à-dire la chair et le sang, les nerfs, la lymphe, le désir et la mémoire, la colère, l'amour, ce que mes yeux avaient vu premièrement, ce que ma peau avait ressenti, ce que j'avais goûté et mangé, ce que j'avais respiré[1]. »

---

1. J.M.G. Le Clézio, « Éloge de la langue française », *L'Express*, 7 octobre 1993.

Avec Le Clézio nous sommes en présence d'une littérature dont l'engagement n'est pas le résultat d'une mode, d'un courant, mais le reflet d'une pensée. De son point de vue, la langue française devrait être perçue dans ses ramifications à travers le monde afin de conforter les cultures et, au-delà, les identités ayant pour dénominateur commun la mobilité. Si nous savons exactement le lieu de notre naissance, cela ne suffit pas à nous définir. Surtout lorsque la situation est aussi complexe que la sienne, comme il le souligna dans son allocution à Bruxelles, avant notre virée dans le quartier Matongé :

> « J'appartiens à une culture qui n'existe pas parce que je suis franco-mauricien, et cette frange de la population a disparu et, en particulier, cette ethnie des Franco-Mauriciens qui ne faisaient pas d'affaires, qui n'avaient rien à voir avec la plantation, avec le grand business mais qui étaient plutôt des fonctionnaires, des magistrats, des médecins... et qui pratiquaient une culture dans laquelle ils mélangeaient l'apport créole qui était le quotidien avec un héritage assez fabuleux, imaginaire qu'ils avaient reçu de leurs ancêtres, de cette relation qu'ils avaient avec un pays très exotique qui était la France [...] Je ne peux pas me relier à un sol véritablement, je suis né à Nice, non pas à l'île Maurice. J'ai la nationalité mauricienne, c'est juste un papier, ce n'est pas une nationalité que je porte je dirais de façon légitime, c'est une nationalité que j'ai reçue à la naissance : je n'y suis pour rien. J'ai la nationalité française mais j'ai été élevé dans une espèce de bulle mauricienne en France, donc j'ai le sentiment de n'avoir aucune terre dans laquelle je suis enraciné, mais ça c'est un grand avantage pour un romancier parce que je peux vivre n'importe où... »

En vagabondant, en entrant dans les autres univers par le truchement de la confrontation, l'écrivain réinvente le monde. Qu'est-ce qui fonde et nourrit une littérature si ce n'est l'expérience née de la multiplication des rencontres ? Un écrivain libre est celui qui refuse une carte d'identité ou celui qui les accumule dans la mesure où elles nourrissent son univers. C'est ainsi que dans *Le procès-verbal* Adam Pollo incarne à la perfection l'étonnement devant le monde. Un monde dont l'ordre préétabli a mis à l'écart toute initiative individuelle. Ce personnage d'Adam Pollo que notre époque a créé de toutes pièces ressemble à un barbare. Il est retiré loin de la civilisation, avec une mémoire confuse et la mer qu'il guette depuis sa colline, une mer qui ne lui livre pas les secrets de ses profondeurs car chez Le Clézio l'Homme doit inlassablement questionner la nature, même au prix de s'éloigner du groupe...

Nous n'avions pas vu le temps passer pendant ce vol, et nous fûmes interrompus par la voix éraillée d'une des hôtesses qui annonçait à présent l'imminence de l'atterrissage à Roissy-Charles-de-Gaulle. Le Clézio resterait quelques jours à Paris, moi je prendrais une correspondance en début d'après-midi et poursuivrais ma route jusqu'à Los Angeles...

*

Le tonnerre d'applaudissements me tire de cette longue torpeur. L'orateur s'est rendu compte de mon assoupissement et me le fait savoir : il esquisse un petit sourire au moment où nos regards se croisent. Je choisis cet instant pour applaudir. De toute ma vie je n'ai jamais autant applaudi un discours que je n'avais pas suivi.

L'orateur se lève, les deux mains posées sur la poitrine comme s'il s'excusait d'avoir trop embarqué son audience vers les « ailleurs ». Pendant qu'un technicien lui ôte le petit micro attaché à son oreille droite, la dame d'un certain âge assise à ma gauche me fait la morale :

– Dites donc, Monsieur, vous avez dormi pendant la conférence ! C'est vraiment irrespectueux pour l'invité !

– Je suis désolé, Madame...

– Oui, mais la prochaine fois mettez-vous au fond de la salle !

– J'y penserai, Madame...

Elle baisse le ton :

– Au fait, vous étiez sérieux quand vous avez dit que Le Clézio ressemblait à Sidney Poitier dans *Devine qui vient dîner*...?

– J'ai dit ça, moi ?

– Bien sûr que vous l'avez dit, juste avant de vous écrouler, Monsieur ! Au risque de vous décevoir, je lui trouve plutôt un air de Robert Redford, peut-être même de Marlon Brando, en forçant un peu les traits...

Je lui souris. Et, pendant qu'elle reprend son sac à main qu'elle avait gardé sous le siège, elle me glisse :

– En tout cas ce Le Clézio, je ne vous dis pas, c'est un être qui marche à contre-courant, c'est un troubadour qui refuse le carcan des préjugés et qui cherche les derniers bastions de la Parole dans ces endroits où les arts et les cultures n'attendent que la reconnaissance des hommes...

Cette dame saura-t-elle qu'elle venait peut-être de me donner la définition que je recherchais depuis longtemps, celle qui conviendrait le mieux à la notion du monde comme langage?

LA NOUVELLE-ORLÉANS

> « Je ne sais plus quel train emprunter pour
> arriver jusqu'à la gare de la vie. »
>
> Zéphirin MÉTELLUS

Je suis arrivé en Louisiane, à La Nouvelle-Orléans, il y a trois jours, et depuis trois jours je me perds dans le dédale des artères de cette agglomération.

L'Histoire me guette, me rappelle que cette ville, fondée au XVIIIᵉ siècle par les Français – avec le Canadien Jean-Baptiste Le Moyne –, doit son nom au régent du Royaume de France, Philippe d'Orléans. Je ne peux m'empêcher de penser qu'il y a une injustice à réparer au profit de l'État de la Louisiane : on insiste beaucoup sur le courage de Rosa Parks à Montgomery, en Alabama, elle qui, en 1955, refusa de céder sa place à un Blanc dans un autobus, initiant par ce geste les mouvements des droits civiques aux États-Unis. Pourtant, la Louisiane n'a rien à envier à l'État de l'Alabama puisque, dès 1892, Homer Plessy, un métis, refusait déjà de laisser sa place au profit d'un Blanc dans un train de la compagnie Ferguson de La Nouvelle-Orléans, conduisant la Cour Suprême à installer le fameux principe discriminatoire : «Séparés, mais égaux».

Même si la justice débouta le plaignant, elle institutionnalisait de ce fait la ségrégation raciale, et «l'Amérique noire» allait s'orienter peu à peu, grâce à La Nouvelle-Orléans, vers des revendications d'émancipation qui allaient croître et connaître leur apogée avec l'épisode de Rosa Parks...

J'erre donc dans une contrée dont le passé se lit aussi bien sur les visages des passants que dans cette structure urbaine conçue à l'époque par Adrien de Pauger et Pierre Leblond de la Tour.

Je me lance dans une rue dont j'ai du mal à trouver le nom. Rien d'anormal en réalité : ici tout est sans cesse en réfection depuis le passage de l'ouragan Katrina en 2005, l'une des plus grandes catastrophes naturelles que les États-Unis aient connues. Et on se rappelle encore qu'avant Katrina il y eut Andrew qui prit son élan depuis le nord-ouest des Bahamas, s'orienta ensuite jusqu'au sud de la Floride, répandit sa fureur sur une bonne partie de la région de Miami avant s'abattre sur la Louisiane, dans un épilogue apocalyptique dont les dégâts se chiffrèrent alors à plusieurs dizaine de milliards de dollars.

La Louisiane est un État qu'aucune force destructrice de la nature ne pourrait plus étonner. La Nouvelle-Orléans ressemblera-t-elle à New Delhi avec ses travaux interminables ? En effet si vous arrivez dans une des cités de l'Inde et qu'il n'y a pas de travaux depuis l'aéroport jusqu'à votre hôtel c'est que quelque chose de grave va se passer...

Je croise des jeunes gens assis à même le sol.

Non, ils ne fument pas de joints.

Non, ils ne boivent pas d'alcool – ils ont perdu la soif depuis que les eaux ont tenté d'engloutir la ville entière, et ils se méfient de tout liquide, fût-il le moins alcoolisé.

Non, ils ne se tirent pas dessus.

Ils attendent. Ils veillent sur la ville, et la ville veille sur eux.

Ils me toisent. Qu'ai-je d'anormal qui puisse piquer leur curiosité de la sorte ? Je me rappelle soudain que je ne suis pas d'ici et qu'ils l'ont compris à ma façon de me mouvoir, d'observer les environs, mais aussi à mon accoutrement, un pantalon en tergal noir bien repassé, une chemise blanche en lin et des mocassins bordeaux.

Plus profondément, en dehors de ma manière de m'habiller qu'ils estiment sans doute classique et vieillotte, beaucoup de choses nous différencient. J'ai certes la couleur de peau qu'il faut afin de passer « inaperçu », mais la géographie nous éloigne, et il est impossible de la dissimuler. Eux se reconnaissent comme les descendants des ancêtres noirs d'Afrique, ceux-là qui ont subi le lugubre voyage par l'Atlantique. Les traces du passé de ces femmes et de ces hommes arrachés des terres africaines demeurent et, pour eux, c'est une réalité quotidienne : il suffit de se rendre sur les vestiges de la plantation d'Oak Valley. Une amie irlandaise m'avait d'ailleurs conseillé de la visiter dès mon arrivée. Elle-même y avait passé une demi-journée et m'avait appris, non sans cacher son bonheur, qu'elle avait profité de l'inattention des guides pour subtiliser un verre dans cette demeure historique. J'avais à peine souri et lui avais aussitôt répondu que les temps avaient changé : autrefois c'était le Nègre qui était supposé voler des objets dans la plantation. Maintenant c'était une Blanche qui se livrait à cette basse besogne.

J'avais même ironisé :

— Rassure-toi, personne ne te coupera la jambe... Quant à moi, je ne visiterai pas cette plantation.

Très surprise de ma résolution, elle me fit sèchement la morale :

— Comment peux-tu ne pas visiter ce lieu pour te rendre compte de ce qu'était la vie de ceux-là qui ont subi toutes sortes d'atrocités et qui sont morts pour que tu aies aujourd'hui une dignité ? Ça ne te préoccupe vraiment pas, l'histoire de ton peuple ?

Il y a eu un silence que j'ai aussitôt interrompu en bredouillant :

— Je suis un lâche, je le sais. L'Histoire m'intéresse, mais revenir sur les lieux de son déroulement m'angoisse. Ce n'est pas mon genre de tourisme...

*

Un immeuble s'élève au milieu de rien, les vitres démantibulées. On dirait les restes du décor d'un mauvais western. J'ai le sentiment que ce bâtiment m'épie et bouge à mon passage. Je m'arrête, il s'arrête. Est-il possible d'être sous l'emprise d'un mirage hors du désert ?

Je n'ai jamais vécu dans un désert. Je suis plutôt de la forêt, la forêt dense et tropicale du Congo marquée par des pluies diluviennes, des ciels orageux, de la graine qui pousse même sur les tôles des maisons en planches ou en bambous.

J'ai côtoyé certes le désert, mais avec les romanciers du Maghreb, ou grâce aux livres comme *Le désert des déserts* de Wilfred Thesiger, *Le désert des Tartares* de Dino Buzzati, ou encore *Désert* de J.M.G. Le Clézio qui narre l'épisode tragique du massacre des hommes bleus par les Chrétiens.

Du désert j'ai en réalité gardé la définition qu'en donne Théodore Monod et qui ne me quitte pas pendant que je déambule dans cette ville :

«Le désert, c'est aussi l'apprentissage de la soustraction. Deux litres et demi d'eau par personne et par jour, une nourriture frugale, quelques livres, peu de paroles. Les veillées du soir sont consacrées aux légendes, aux contes, au rire. Le reste appartient à la méditation, au spirituel. Le cerveau met le cap en avant. Nous sommes enfin débarrassés des futilités, des inutilités, des bavardages. L'homme, cette étincelle entre deux gouffres, trace ici un chemin qui s'effacera après son passage[1]...»

Oui, c'est le sentiment de «soustraction» qui se dégage ici, et cela ne choque plus personne. Comme si chacun avait intégré cette réalité...

Je continue mon chemin.

Deux jeunes filles sont à moitié dévêtues sur Canal Street. Or il n'y a pas de mer à vue d'œil. Ou alors ces deux-là

---

1. Théodore Monod, *Le chercheur d'absolu*, Gallimard, 1997.

couvent en elles une mer intérieure. Et cette mer-là est la plus profonde et la plus dangereuse.

L'une des filles pousse un bébé dans une poussette. Elle est plus mince que l'autre dont le poids obstrue même son cou. J'entends presque sa respiration à plusieurs mètres derrière. C'est comme un ronflement. Parfois ça s'arrête, tel un moteur qui cale ou une voiture dont on ne passe pas convenablement les vitesses. Puis ça reprend avec plus d'ardeur.

Elles se retournent. L'une d'elles souffle à l'autre quelques mots à l'oreille. Les deux s'arrêtent, me laissent les dépasser.

Jamais je n'ai marché aussi vite...

*

De l'herbe qui pousse sur le macadam – qui l'aurait cru ? Cette végétation rachitique doit certainement se nourrir du crachat de vieilles automobiles. Elle est toute noire avec des feuilles frappées de petite vérole. Là où sont passés des ouragans, tout est possible.

Je décide finalement de regagner ma chambre à l'hôtel Renaissance qui n'est plus qu'à quelques centaines de mètres. Il me suffit de traverser Canal Street, de longer Carondelet Street puis de tourner à droite, à Common Street.

Je laisse passer un vieux train. Une seule rame avec à peine une dizaine de passagers qui me regardent tous. C'est peut-être à cause de ma casquette.

Je l'enlève, ils rigolent et me saluent...

Sur le trottoir, devant un immeuble vétuste de Carondelet Street, j'aperçois un bougre couché à même le sol.

Je n'avais pas tout de suite remarqué sa présence, il était caché dans des couvertures, la tête dehors comme une tortue dans sa carapace. Je me dis que la canicule ne le dérange pas tant que ce n'est pas le feu de l'Enfer qui embrase la ville. Ce lieu est son territoire puisqu'il l'a délimité en traçant un cercle à l'aide d'une craie bleue.

Au moment où je passe près de ce cercle, l'homme hurle d'une voix grave :

– Tu as un accent !

Je n'ai pourtant pas prononcé un seul mot. Je présume que nous avons un accent même lorsque nous nous taisons.

– Tu es de quel coin d'Afrique ? poursuit-il.

Je lui dis que je viens du Congo. Au moment où je tente de rajouter une petite précision sur l'existence de deux Congo, le type se relève d'un bond de kangourou :

– Je ne suis pas con ! Je sais qu'il y a d'un côté le Congo des Belges et de l'autre le Congo des Français. Donc toi, tu as été colonisé par les Français !

Il m'apprend qu'il n'est pas descendant d'Africains. J'en doute, mais il semble y tenir et précise :

– Je suis un descendant direct de ces créoles qui ont débarqué ici après la révolution de 1802 en Haïti et qui ont travaillé dans les différentes plantations des États du sud de l'Amérique...

Comme je demeure dubitatif, il écarte ses couvertures, sort une image et me la tend :

– Tu peux me dire qui est cette personne ?

J'examine l'image. J'ai chez moi une toile qui représente ce même personnage peint par Duval-Carrié, un artiste haïtien résidant à Miami. Je ne peux pas me tromper.

— C'est Toussaint Louverture, je fais.

Ses yeux brillent soudain, il se redresse, le menton bien haut, affecte l'allure d'un haut gradé de l'armée, se racle la gorge, prend une voix solennelle et récite :

« Frères et amis. Je suis Toussaint Louverture ; mon nom s'est peut-être fait connaître jusqu'à vous. J'ai entrepris la vengeance de ma race. Je veux que la liberté et l'égalité règnent à Saint-Domingue. Je travaille à les faire exister. Unissez-vous, frères, et combattez avec moi pour la même cause. Déracinez avec moi l'arbre de l'esclavage. Votre très humble et très obéissant serviteur, Toussaint Louverture, général des armées du roi, pour le bien public. »

Je le considère, il baisse les yeux, cherche un chiffon dans ses couvertures et essuie ses larmes :

— C'est mon défunt père qui m'a appris ce discours, lui-même il l'a appris de son père... Et ça vaut tous les héritages du monde car il me rappelle que je suis et resterai un descendant direct de Toussaint Louverture !

Il me demande une pièce de monnaie. Je plonge la main droite dans ma poche :

— Je n'ai que deux euros avec moi, je suis arrivé avant-hier d'Europe et...

— Je ne veux pas de ça, moi ! La seule monnaie qui compte à mes yeux, c'est celle sur laquelle on a gravé la tête de Washington, le reste c'est de la monnaie de singe !

Il me propose d'aller faire le change et me désigne une banque à deux blocs de Carondelet Street.

Je lui fais savoir que l'euro est plus fort que le dollar. Il écarquille les yeux de surprise :

— Tu mens ! Ne me mens pas, je suis plus vieux que toi ! Le dollar c'est le dollar, un point c'est tout !

Je lui promets que je reviendrai dans cinq minutes lui donner un vrai billet avec la tête de Washington, le temps d'aller retirer quelque chose au distributeur automatique.

Il n'a pas l'air rassuré :

— Je ne te crois pas ! Est-ce que tu vois mes cheveux blancs, hein ? Je suis un descendant direct de Toussaint Louverture ! Je connais l'hypocrisie et la félonie des hommes. Louverture est resté seul dans une cellule, personne n'est venu le voir. Et il est mort, mort, tu m'entends, il est mort ! À mon âge je ne supporte plus les bonimenteurs de ton espèce. La vie c'est ça, le mensonge, le mensonge et le mensonge ! Tu veux me rouler, hein ? Je sais que tu ne reviendras pas dans cinq minutes. Ceux qui disent ça ne reviennent jamais. Ma vie c'est cela. Des gens comme toi, des Noirs comme toi et moi qui me disent qu'ils reviendront et qui ne sont pas revenus. Qu'un Blanc me dise qu'il reviendra et qu'il ne revienne pas, je m'en fous. Mais pas un Noir ! Non, non et non ! Tu ne reviendras pas, j'en mets ma main au feu. Si je crèche sur ce trottoir, c'est parce que j'attends encore ceux qui m'ont dit qu'ils viendraient me tirer de cette situation pour me ramener chez moi en Haïti. Et ça fait des décennies que ça dure. Je mourrai comme mon ancêtre, dans la solitude de ma cellule, celle qui est représentée par ce cercle qui m'entoure. Je ne sais plus quel train emprunter pour arriver jusqu'à la gare de la vie. Alors ne me mens pas, frère noir, ma République t'a donné la fierté de porter ta couleur, passe ton chemin et va vivre ton opulence de l'autre côté de Bourbon Street où les touristes viennent laisser cours à leurs vices et pervertir les populations de cette ville. Y a des Blanches chaudes qui n'attendent que des Nègres comme toi. Et quand tu pisseras dans le sexe de l'une d'elles, pense à moi parce que, mine de rien, ça fait longtemps que j'ai tiré un coup et j'en ai marre de me branler dans mes couvertures. Fous-moi la paix !

Même si cet homme se réclame comme un descendant «direct» de Toussaint Louverture mort en captivité en France et chef de file de la révolution haïtienne, dans mon esprit il paraît plutôt surgir d'un des romans de l'écrivain haïtien Jean Métellus, en particulier *L'année Dessalines* (1987), une fiction qui se déroule en 1960 à Port-au-Prince pendant la célébration du bicentenaire de la naissance de l'empereur Jean-Jacques Dessalines dont le règne fut écourté par son assassinat en 1806. Avec plusieurs leaders noirs et l'aide des Britanniques, Dessalines chassa les Français de Saint-Domingue et proclama l'indépendance de cette terre appelée l'île d'Hispaniola, lui redonnant un nom arawak, Haïti, et se proclamant empereur sous le nom de Jacques Ier.

Je vois de ce fait cet inconnu plus du côté de Dessalines que de Toussaint Louverture. Certes Dessalines fut le lieute-nant de Louverture, mais il était aussi connu pour avoir

déstabilisé l'expédition napoléonienne, organisé une muti-
nerie et combattu deux généraux : le mulâtre André Rigaud
et le français Charles Leclerc. Si mon inconnu se revendique plutôt de la branche de Louverture, reprochera-t-il
tout de même à ce dernier d'avoir mené une politique qui
s'avéra désastreuse, avec le recours au travail forcé dans les
plantations ou encore l'expropriation des terres des Blancs,
véritables ennemis à exterminer et à qui il interdit le droit
à la propriété ?

Je rangerais plutôt cet inconnu au milieu des personnages de ce roman de Métellus qui retrace une des périodes
les plus sanglantes de la dictature de François Duvalier.
Et il pourrait parfaitement incarner un des rescapés des
tontons macoutes qui terrorisèrent les populations et les
conduisirent en enfer pendant les quatorze années de règne
de Papa Doc. Jean Méttelus lui-même fit partie de ces
émigrés de la fin des années 1950 et du début des années
1960. Réfugié en France, il entreprit des études de médecine et devint un neurologue spécialisé dans les désordres
du langage. Il consacrera à ce trouble un roman, *La parole
prisonnière* (1986), fiction dans laquelle un ingénieur, le
bègue Ernest Barthélemy, lutte contre ce bégaiement qui
frappe plusieurs membres de sa famille, et surtout son
fils Brice dont le proche confident est un poney nommé
Silence. Après *Une eau-forte* (1983) qui se déroulait dans la
Suisse romande avec pour personnage central Hermann
von Doreckstein – un peintre suisse de confession juive –,
Jean Métellus poursuivait ainsi avec *La parole prisonnière* sa
prise de distance quant au roman dit « haïtien » en campant
son histoire non pas en Haïti, mais plutôt en France, dans

une famille de Lorraine, comme pour signifier l'adoption d'autres cultures par le migrant, le caméléon épousant forcément la couleur de son environnement.

Mort en janvier 2014, magnifié par Aimé Césaire, Jean Métellus aimait à rappeler qu'il avait été découvert par le célèbre éditeur parisien Maurice Nadeau qui publia son recueil de poèmes, *Au pipirite chantant* – la dernière lecture d'André Malraux, insistait-il, car à la mort de l'auteur français en 1976 on retrouva ce recueil sur sa table de nuit...

*

Comment dire à cet inconnu que ma vie est également faite de départs, des gens qui m'ont promis qu'ils seront là, qu'ils reviendront me voir et qui ne sont pas revenus ? Il me fait penser à mon cousin Bertin Miyalou qui était presque mon jumeau, mon complice depuis notre enfance jusqu'à sa tragique disparition, quelques jours après mon départ pour la France, à la fin des années 1980. Nous vivions dans le même studio, à Brazzaville, et il n'avait pas supporté que je m'envole pour l'Europe. En partant je lui avais ôté une moitié de sa vie, un de ses poumons. Je l'avais ressenti lorsqu'il m'accompagna à l'aéroport pour ce grand départ. Il était à la fois nerveux et lointain. Dans le taxi il ne prononça aucun mot et ne répondit même pas lorsque je lui fis remarquer qu'il avait enfilé sa chemise à l'envers – un signe de malchance dans nos croyances au pays. Dans le hall de l'aéroport Maya-Maya je lui tendis les quelques billets de francs CFA que ma mère m'avait remis la veille.

Il les prit d'un air détaché et les donna à un manutentionnaire qui nous avait assistés dans le pesage des bagages.

Deux jours après mon voyage il regagna la capitale économique, Pointe-Noire, pour passer le week-end avec ma mère. Le dimanche, aux premières lueurs de l'aube, il s'est levé et a regardé vers le ciel. Une myriade de corbeaux migrait vers le cimetière Mongo-Kamba. C'était l'heure qu'il attendait. Il faut mourir avant que le soleil ne soit au zénith, dit-on dans notre tribu des Bembés, dans la région de la Bouenza, au sud du pays.

Bertin trouva la corde la plus sûre et se dirigea vers ce manguier de notre enfance, celui sous lequel nous nous reposions ou déjeunions lorsque ma mère recevait du monde. Et c'était la première fois que quelqu'un se pendait dans notre famille...

Mon inconnu est peut-être la réincarnation de mon cousin Bertin. Même regard sombre. Même coupe de cheveux. Même corpulence. Et si tous les pendus d'Afrique ressuscitaient ici à La Nouvelle-Orléans ?

Je retire de l'argent au distributeur automatique et reviens vers le «descendant direct» de Toussaint Louverture :

– Voilà, c'est pour toi, Bertin...

Étonné que je sois revenu, il considère les billets avec méfiance et se met à les compter. Il me fixe pendant un temps. Une façon de me remercier parce que les mots lui manquent ? Sa lèvre inférieure tremblote, ses larmes recommencent à couler et il bredouille :

– Merci, merci frère africain...

Je lui tourne le dos, tandis que je m'éloigne déjà je l'entends me demander :

– Je ne m'appelle pas Bertin... Et c'est qui d'ailleurs ce Bertin ? Moi je m'appelle Zéphirin Métellus.

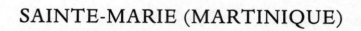

SAINTE-MARIE (MARTINIQUE)

> *« La langue créole qui m'est naturelle vient
> à tout moment irriguer ma pratique du français. »*
>
> Édouard GLISSANT

Vénéré par les universités américaines qui l'accueillirent en grande pompe dès 1989 d'abord en Louisiane, puis à New York comme « Distinguished Professor », Édouard Glissant est presque demeuré, dans la sphère littéraire française, un écrivain confidentiel jusqu'à sa mort en 2011, à l'âge de quatre-vingt-trois ans. Il y eut, c'est vrai, un « bruit » autour de lui lorsque le président français Jacques Chirac lui confia en 2006 la présidence d'une mission destinée à réfléchir à l'élaboration d'un « centre national consacré à la traite, à l'esclavage et à leurs abolitions », de même lorsque l'auteur publia en 2009, avec Patrick Chamoiseau, *L'intraitable beauté du monde*.

Si comme certains des lecteurs et admirateurs de Glissant je me réjouissais de cet intérêt qui l'entourait tout d'un coup, j'étais cependant conscient que cela ne signifiait pas pour autant qu'on le découvrait ou le redécouvrait. Deux raisons me conduisaient à relativiser ce qui m'apparaissait alors comme un enthousiasme de circonstance.

D'abord, la question de la traite, de l'esclavage et de leurs abolitions arrivait au moment où le débat sur le passé colonial de la France faisait rage, ranimé par l'article 4 de la loi française du 23 février 2005 portant « reconnaissance de la Nation et contribution nationale en faveur des Français rapatriés » et qui stipulait : « Les programmes scolaires reconnaissent en particulier le rôle positif de la présence française outre-mer, notamment en Afrique du Nord et accordent à l'histoire et aux sacrifices des combattants de l'armée française issus de ces territoires la place éminente à laquelle ils ont droit. »

Au regard de son œuvre traversée par l'Histoire et la Mémoire, Glissant était alors un interlocuteur de premier plan aux yeux de plusieurs associations « noires » qui réclamaient la suppression partielle de cet article prônant le rôle positif de la colonisation.

La deuxième raison de ma prudence était évidente : *L'intraitable beauté du monde* – avec pour sous-titre *Adresse à Barack Obama* – parut juste une année après l'élection du « premier président noir » des États-Unis. Les journalistes invitaient Glissant pour cela, pour qu'il livre son témoignage, lui qui habitait et enseignait aux États-Unis, lui qui avait donc vécu l'élection historique « aux premières loges ». C'était par conséquent un ouvrage « d'actualité » dans lequel les deux écrivains originaires de la Martinique démontraient comment cette élection américaine était le résultat inéluctable de la « créolisation » du monde – un des grands concepts forgés par Glissant pour définir la culture du métissage de notre époque. Cet opuscule d'une soixantaine de pages se maintint pendant plusieurs semaines dans les meilleures ventes en France – un fait rare pour l'auteur martiniquais dont une telle prouesse en librairie remontait à plus d'un demi-siècle lorsqu'il reçut le prix Renaudot pour son premier roman, *La lézarde* (1958).

Le succès de *L'intraitable beauté du monde* ne pouvait cependant occulter le fait que l'œuvre de Glissant souffrait et souffre encore d'une réputation d'élitisme : ses fictions, sa poésie et son théâtre seraient impénétrables tandis que ses essais exigeraient du lecteur un immense savoir pluridisciplinaire et une connaissance pointue de l'histoire des peuples ayant été «dominés». Le philosophe, historien et ethnologue de formation serait ainsi à classer dans la «prestigieuse» catégorie des écrivains qu'on respecte, mais qu'on ne lit pas. Glissant entretenait bien malgré lui cette situation en donnant le sentiment qu'il préservait une distance avec ses interlocuteurs, lesquels, plus que découragés, concluaient que l'auteur martiniquais «se comprenait lui-même». Or, pour peu qu'on franchisse les barrières de cette «mauvaise réputation», on découvre avec plaisir un vrai univers de création et une audace intellectuelle qui marquera longtemps les générations à venir.

Dès son premier texte, *Soleil de la conscience* (1956), Glissant commence par méditer sur ses huit années de présence à Paris où il est arrivé, à dix-huit ans, pour suivre des études supérieures de philosophie à la Sorbonne. Ce poème aux accents d'essai – ou plutôt cet essai aux accents poétiques – scelle la prise de conscience de son identité antillaise :

> «Je devine peut-être qu'il n'y aura plus de culture sans toutes les cultures, plus de civilisation qui puisse être métropole des autres, plus de poète pour ignorer le mouvement de l'Histoire...»

La diversité culturelle des Antilles est ici revendiquée, et il faudra dorénavant s'accommoder de cette nouvelle forme de civilisation qui constituera la substance d'une pensée qu'il développera de livre en livre, quel qu'en soit le genre, et axée sur l'Histoire, mais aussi sur l'imaginaire véhiculé par les langues et le langage.

C'est d'abord l'Histoire contemporaine des Antilles que Glissant questionne avec *La lézarde*. Il refuse dans cette fiction toute linéarité du récit qu'il préfère sinueux, ponctué de digressions, de narrations polyphoniques et entame de ce fait une extraordinaire épopée antillaise qui bouleversera notre vision de l'espace insulaire. *La lézarde* sera alors une ode à la liberté entonnée par un groupe de jeunes révolutionnaires martiniquais qui envisagent d'assassiner le fonctionnaire commis par l'État pour réprimer les soulèvements populaires pendant la campagne des législatives. Cette première fiction montre déjà que le Martiniquais sera un écrivain éminemment «politique», lui qui avait été, avec l'écrivain guadeloupéen Paul Niger, le cofondateur au début des années 1960 d'un parti indépendantiste, le Front antillo-guyanais. Il sera d'ailleurs interdit de séjour dans son île et assigné à résidence en métropole pour avoir signé le «Manifeste des 121» sur le droit à l'insoumission contre la guerre d'Algérie. Un exil qui l'affectera d'autant qu'il le poussera à nourrir sa réflexion sur le statut de la Martinique, lui qui, dès sa jeunesse, fut sensible au charisme d'Aimé Césaire fraîchement nommé professeur de philosophie au lycée Schoelcher à Fort-de-France. Glissant étudiait dans ce lycée, et la fascination pour cette figure emblématique de la négritude est manifeste : il entreprend, lui aussi, des études de philosophie. Mieux encore, il est en phase avec le mouvement de la négritude, et on le retrouve parmi les rédacteurs et collaborateurs de la revue *Présence Africaine*. Il compte également parmi les écrivains conviés aux deux «Congrès des écrivains et artistes noirs», en 1956 à la Sorbonne, et en 1964 à Rome. Ce ne sera que bien plus tard qu'il prendra ses distances de ce courant exaltant les «valeurs nègres», conscient qu'on ne pouvait définir le passé antillais exclusivement par la «trace africaine» et que «quelque chose d'autre» était à ajouter...

Sa réflexion sur les Antilles prend corps avec son *Discours antillais* qu'il publie en 1981. Ce livre souligne combien il avait pris la résolution de troquer ses habits d'indépendantiste pour ceux, plus amples et plus taillés à sa stature, d'esprit autonome et d'écrivain penseur. Plus question pour lui de s'enfermer dans des chapelles sous la tutelle des maîtres à penser ou d'être un des multiples wagons du mouvement de la négritude. Il voudrait s'exprimer à la première personne du singulier, prendre appui sur son expérience de migrateur et d'observateur d'autres civilisations. Cette posture le distinguera très vite des autres écrivains de l'île, plus préoccupés par la quête d'une identité créole figée, définie et ne laissant aucune ouverture vers l'extérieur.

Outre le retour à son propre parcours politique, Glissant jette dans ce *Discours antillais* les bases d'une relecture de l'histoire de la Martinique, de sa structure socio-culturelle au regard des îles environnantes. Il propose un nouveau concept, l'*Antillanité*, autrement dit la reconsidé-ration du passé antillais, de ses réalités de races, de langues, de classes, de hiérarchies sociales et de pluralité d'identités. C'est aussi dans cet ouvrage qu'il évoque la question de la langue créole dans ses rapports avec le français – un sujet très sensible dans son île natale. Pour Glissant, le créole est en quelque sorte une langue de «réaction» contre une situation historique :

«Ce que le créole transmettait, dans l'univers des planta-tions, c'était avant tout un refus.»

Refus de la domination, désir de créer une langue de «ruse», celle que le maître ne saisirait pas, celle qui permettrait de reconquérir un jour sa liberté. Pour autant, Glissant demeurait critique à l'égard des associations de défense de la langue créole – comme le Groupe d'études et de recherches en espace créolophone et francophone créé en 1975 – qui, pour la plupart, montraient du doigt le français comme la cause probable de la disparition du créole par le biais de la francisation du langage quotidien. Dans *Discours antillais*, il balaye ce raccourci et reconnaît la complémentarité de sa langue maternelle à celle qui lui fut imposée :

«La liberté pour une communauté ne se limiterait pas à récuser une langue, mais s'agrandirait quelquefois de construire à partir de cette langue imposée un libre langage [...] La langue créole qui m'est naturelle vient à tout moment irriguer ma pratique du français.»

De même constatera-t-il la coupure linguistique qui existe entre le peuple et les élites :

«La langue officielle, le français, n'est pas la langue du peuple. C'est peut-être pourquoi nous, les élites, la parlons si correctement. La langue du peuple, le créole, n'est pas la langue de la collectivité.»

Le concept de l'*Antillanité*, que Glissant savait dès le départ trop centré sur les Antilles, sera au fur et à mesure élargi, dépassé, voire récusé par l'auteur pour une vision tournée vers ce qu'il qualifiait de «poétique du monde».

Le lecteur pointilleux des philosophes occidentaux qu'il fut sera ainsi ébloui par Gilles Deleuze et Félix Guattari qui, dans *Mille Plateaux*, avancent qu'«à la différence des arbres ou de leurs racines, le rhizome connecte un point avec un autre point quelconque, et chacun de ses traits ne renvoie pas nécessairement à des traits de même nature[1]...»

Glissant reprend ce raisonnement dans sa *Poétique de la Relation* (1990) et élabore alors sa célèbre théorie d'«identité rhizome» – l'interpénétration des cultures – qu'il oppose à «l'identité racine», celle qui cloisonne et éloigne

---

1. Gilles Deleuze, Félix Guattari, *Capitalisme et Schizophrénie*, tome 2 : *Mille Plateaux*, Éd. de Minuit, 1980.

de l'ouverture à l'Autre. Il nous alerte contre le danger de se raccrocher à sa culture atavique, à une seule langue, à cette racine unique que nous recevons et qui nous empêche d'explorer les «cultures composites»: «La racine unique est celle qui tue autour d'elle alors que le rhizome est la racine qui s'étend à la rencontre d'autres racines», précisera-t-il dans son *Introduction à une poétique du Divers* (1996) avant de conclure:

> «Je pense que dans l'Europe du xviiie et du xixe siècle, même quand un écrivain français connaissait la langue anglaise ou la langue italienne ou la langue allemande, il n'en tenait pas compte dans son écriture. Les écritures étaient monolingues. Aujourd'hui, même quand un écrivain ne connaît aucune autre langue, il tient compte, qu'il le sache ou non, de l'existence de ces langues autour de lui dans son processus d'écriture. On ne peut plus écrire une langue de manière monolingue. On est obligé des imaginaires des langues.»

La parution du *Traité du Tout-monde* (1997) a été un événement dans les milieux universitaires, avec un Glissant au sommet de son art en tant que théoricien et philosophe. À défaut d'être plébiscité ou connu par le grand public, il pouvait se réjouir de la «vulgarisation» de ses théories dans les études postcoloniales aux États-Unis. Dans ses cours en Amérique, il est l'un des rares auteurs à enseigner ses propres livres, ses propres concepts. Le résultat est spectaculaire: les étudiants affluent des quatre coins du pays de l'Oncle Sam afin d'écouter sa bonne parole et l'entendre prêcher de sa voix très singulière et chancelante:

«J'appelle Tout-monde notre univers tel qu'il change et perdure en échangeant et, en même temps, la vision que nous en avons[1].»

En Martinique, Glissant bénéficiera très vite de la même considération que ses aînés Césaire et Frantz Fanon. À bien y voir, c'était comme si les trois plus grands écrivains et intellectuels de l'île s'étaient «naturellement» répartis les tâches : Aimé Césaire avait opéré un inventaire méticuleux des plaies de la société martiniquaise et exalté l'Afrique et la négritude dès son *Cahier d'un retour au pays natal* (1939) ; Frantz Fanon s'était penché sur la délicate question de la colonisation, de la race, et surtout de l'aliénation du Nègre avec *Peau noire, masques blancs* (1952) pendant que Glissant, lui, rappelait que le salut de l'Antillais résidait non pas dans le renfermement identitaire, mais dans l'échange et le mélange.

L'autre concept de Glissant, la «créolisation», malgré cette appellation, va au-delà du mouvement de la «créolité» prôné à la fin des années 1980 par ses compatriotes Jean Barnabé, Patrick Chamoiseau et Raphaël Confiant dans leur *Éloge de la créolité* (1989). La créolité constatait l'état de la rencontre dans un espace insulaire de gens venus d'horizons divers avec leurs éléments culturels qui, en s'entrecroisant, créent une culture prompte à donner une «réponse» à l'esclavage, à la domination coloniale et au système colonial de «l'assimilation» qui imposait aux indigènes de délaisser leur propre culture pour celle de l'Occident.

---

1. Édouard Glissant, *Traité du Tout-monde (Poétique IV)*, Gallimard, 1997.

Sainte-Marie (Martinique)

Circonscrite donc dans le cadre de la Caraïbe, la créolité exaltait la langue créole, celle des mythes, celle des contes, celle des marqueurs de la parole quand bien même ses principaux ténors cités plus haut écrivaient plutôt en langue française et étaient régulièrement salués à Paris (Confiant reçut le prix Novembre en 1991 pour *Eau de Café*, et Chamoiseau le Goncourt en 1992 pour *Texaco*). Ce qui séparait ces promoteurs de la créolité de leur aîné Glissant, c'était le degré de confrontation avec le géant de l'île, Aimé Césaire. Si Glissant était intellectuellement plus courtois et élégant à l'égard de l'auteur du *Cahier d'un retour au pays natal*, Chamoiseau, Confiant et Barnabé reprochaient à Césaire son «obsession africaine» et son «indifférence» vis-à-vis de la langue créole au profit du français. Agacé, Césaire renvoyait cette créolité à sa dimension de micro-courant caribéen, voire martiniquais et clamait:

«Je leur apporte un monde: l'Afrique. Ils m'apportent un monde: la Caraïbe. Vous trouvez que ce sont les mêmes proportions? Eh bien non, non, non [...] C'est pourquoi je dis: la créolité, fort bien, mais ce n'est qu'un département de la négritude[1].»

La créolité paraissait ainsi trop «régionale», j'allais dire trop «locale» et se définissait systématiquement par la négation («Ni Européens, ni Africains, ni Asiatiques, nous nous proclamons Créoles») là où la créolisation de Glissant, elle, ratisse large, conteste cette négation dont le danger serait

---

1. Aimé Césaire, entretien avec Frédéric Bobin, *Le Monde*, 12 avril 1994.

de promouvoir une racine unique enfermant les Antillais dans leur insularité.

Glissant célèbre au contraire l'addition et la multiplication et prend en compte les différents apports européens, africains, asiatiques, chinois ou syro-libanais. Il nous fait entrer dans l'ère du « Tout-monde » – un autre de ses concepts-phares – parce que nous sommes plus que jamais interdépendants, interconnectés, et nous ne pouvons percevoir l'identité, comme s'y attelaient les auteurs de l'*Éloge*, de manière irrévocable et gelée. Le monde bouge, plongé dans un « chaos » : la créolisation rend par conséquent caduc et suranné le mouvement de la créolité en ce qu'elle dépasse le cadre martiniquais ou insulaire. Et Glissant rappellera qu'elle peut même être constatée en Europe :

« Oui, l'Europe se créolise. Elle devient un archipel. Elle possède plusieurs langues et littératures très riches, qui s'influencent et s'interpénètrent, tous les étudiants les apprennent, en possèdent plusieurs, et pas seulement l'anglais. Et puis l'Europe abrite plusieurs sortes d'îles régionales, de plus en plus vivantes, de plus en plus présentes au monde, comme l'île catalane, ou basque, ou même bretonne. Sans compter la présence de populations venues d'Afrique, du Maghreb, des Caraïbes, chacune riche de cultures centenaires ou millénaires, certaines se refermant sur elles-mêmes, d'autres se créolisant à toute allure comme les jeunes Beurs des banlieues ou les Antillais. Cette présence d'espaces insulaires dans un archipel qui serait l'Europe rend les notions de frontières intra-européennes de plus en plus floues[1]. »

---

1. Édouard Glissant, « La créolisation du monde est irréversible », propos recueillis par Frédéric Joignot, *Le Monde*, 4 février 2011.

Sainte-Marie (Martinique)

Avec ses différentes théories célébrant le contact, incitant au dialogue, à l'humanisme et à la tolérance, Glissant proposait au fond une alternative à la pensée occidentale. Dans son esprit le monde était désormais porté par deux grands courants : la pensée « continentale » et la pensée « archipélique ». La première a fait faillite parce qu'elle était fondée sur la domination, s'érigeant en pensée unique, en système qui réglemente tout alors que la seconde nous convie à être nous-mêmes sans nous fermer à l'autre, et à s'ouvrir à l'autre sans nous perdre.

En parcourant ses romans j'en viens toujours à la conclusion que Glissant « pensait » souvent à la place de ses personnages, ne laissant à ceux-ci qu'un espace très étriqué. Chez d'autres auteurs cela aurait ruiné le pouvoir de persuasion qui donne de l'autonomie à la fiction par rapport à la réalité. Mais Glissant savait comment se muer en personnage et faire de sorte que celui-ci incarne le peuple, la révolte et le courant d'idées qu'il souhaitait diffuser. De ce fait, il ne faut pas attendre de lui des descriptions pittoresques ou doudouistes de paysages de sa terre natale. Chez lui le roman accompagne nécessairement son entreprise de déconstruction du passé de l'être antillais dans une remise en cause de l'Histoire officielle ou des comportements de capitulation. *Le quatrième siècle* (1964) par exemple est un roman fleuve sur la déportation des Noirs aux Antilles entre les XVIIe et XVIIIe siècles et les conséquences que cela allait impliquer avec la culture de la plantation, avec les multiples rebellions et évasions, l'émergence du créole comme une langue de résistance qui illustre la réalité du métissage.

Une réflexion qu'il poursuivra dans le vertigineux *Malemort* (1975), livre des révoltes, des magouilles électorales, des violences quotidiennes nées du traumatisme colonial. Dans *La case du commandeur* (1981), l'Afrique, l'esclavage, la traite négrière et le combat des captifs pour leur liberté sont évoqués par le biais de la généalogie de Marie Celat – une héroïne déjà présente dans *La lézarde*. Il sera aussi question de la mémoire dans *Mahogony* (1987), vibrant hommage rendu aux marrons martiniquais – ces esclaves qui, au péril de leur existence, se soustrayaient aux chaînes de l'esclavage par la fuite dans les bois...

Glissant, à travers ses différentes théories, est sans doute l'auteur antillais qui aura placé la question de la langue le plus au cœur de son œuvre. Reconnaissant au poète la fonction de gardien des «langages»:

> «Le rôle du poète est précisément de préserver les frémissements et l'ardeur des langues, et cela nous empêche de dire que ma langue est celle de mon peuple car mon peuple peut très bien utiliser demain le langage de plusieurs langages sans pour autant être moins authentique[1].»

---

1. «Solitaire et solidaire», entretien de Philippe Artières avec Édouard Glissant, *Terrain*, septembre 2003.

MONTRÉAL

> *« L'écrivain est quelqu'un qui se délimite un*
> *espace très étroit et qui fouille pour aller jusqu'au*
> *fond de la terre. »*
>
> Dany LAFERRIÈRE

Dany Laferrière surveillait depuis un moment le bruit de la voiture de notre éditeur commun au Canada, le Québécois d'origine haïtienne, Rodney Saint-Éloi.

Alors que nous sortons du véhicule, Laferrière nous désigne d'un geste à la fois détaché et satisfait le petit jardin devant sa maison :

– Je vous jure que si ce jardin était en Haïti, vous entreriez presque dans une forêt ! Là-bas les graines réagissent plus vite et n'attendent pas qu'on les arrose ! Ici à Montréal c'est comme si elles devaient d'abord mettre les nerfs du jardinier à rude épreuve... Mais elles ne savent pas qu'elles ont affaire à un écrivain et que l'écriture et le jardinage ont en commun la patience...

Petite touffe afro, chemise grise en coton, pantalon jean et une paire de baskets neuve, l'hospitalité de Laferrière se lit dans ce large sourire et cette voix de stentor qui me fait souvent croire qu'il est né avec un micro dans la gorge.

Alors que nous pénétrons dans sa maison je ne peux me retenir de songer à notre première rencontre. C'était en 1995, à Paris. Je n'avais alors lu de lui que *Comment faire l'amour avec un Nègre sans se fatiguer* (1985)[1]. Comme tout le monde, je m'étais laissé piéger par ce titre provocateur, croyant que j'allais enfin découvrir les subtilités et l'art de l'endurance sexuelle qu'on prête d'ordinaire aux gens de couleur. Et, à ma grande «déception», ce fut plutôt un livre qui parlait des livres, de la musique – et surtout de la condition de l'écrivain et de son métier. C'était le livre de la naissance de l'écrivain, de ses affres et de son quotidien. Peut-être même l'un des rares livres de la littérature négro-africaine qui montrent comment on devient écrivain en venant d'un des pays considérés comme les plus pauvres de la planète.

C'était le roman d'un jeune Haïtien poussé hors de son île par la dictature des Duvalier et affrontant pour la première fois l'hiver montréalais. L'ouvrage restera son œuvre la plus connue au point qu'il jouera sans cesse sur l'ambiguïté de ce titre, notamment dans *Cette grenade dans la main du jeune Nègre est-elle une arme ou un fruit?* où il rapporte

---

1. Réédité aux éditions Grasset dans un volume comprenant également *Eroshima* et *Cette grenade dans la main du jeune Nègre est-elle une arme ou un fruit?* (in *Mythologies américaines*, 2016).

les propos des lectrices qui souhaitent impressionner leurs soupirants et s'imaginent que ce livre pourrait les aider.

Là où certains évoquaient la «légèreté», je découvrais un projet esthétique, une brillante traversée littéraire, le début de ce que l'auteur allait plus tard qualifier d'«autobiographie américaine», ou de «mythologies américaines»: Laferrière est certes créolophone, francophone, haïtien et québécois, mais son pays d'origine est une «motte de terre» du continent américain, comme il se plaît souvent à le rappeler.

Il n'écrit pas que des livres. Il ne s'occupe pas que de ses chroniques du dimanche dans *La Presse*, le fameux quotidien québécois à grand tirage, l'un des plus populaires d'ailleurs. Il ne tourne pas que des films sur ses romans, il va voir aussi ceux qu'on tourne sur les œuvres des autres, et il est généralement plus impitoyable avec son propre travail.

Il y a toujours quelque part, chez lui, des fruits – surtout des avocats. Et même lorsqu'il arrive dans un pays, il se rue au marché ou dans la première boutique d'alimentation pour en acheter. Je me souviens encore de cette nuit où, à l'hôtel Karibe, à Port-au-Prince, alors que nous discutions très tard au bord de la piscine, il se releva d'un bond:

– J'ai un peu faim, mais tout est fermé à cette heure-ci!

Puis, sans me laisser le temps de réagir, il ajouta:

– Il me reste un avocat dans la chambre. Allons le manger!

Oui, Laferrière aime recevoir ses amis, leur parler de la cuisine avec l'enthousiasme du chef d'un restaurant de province menant une croisade impitoyable contre le fast-food et la pizza livrables à domicile.

La cuisine, ai-je dit ? Voici justement notre hôte à l'œuvre : ses gestes sont précis, les condiments alignés sur un étal, dans l'ordre de leur lancer dans la marmite ! Il prépare un plat de ratatouille d'aubergines au riz noir. Maguy, son épouse, est assise dans le canapé au salon, abandonnant son mari à ses risques et périls quant à la réussite de cette spécialité culinaire. Je discute avec elle du temps qu'il fait à Montréal, puis je m'attarde sur un tableau d'un peintre haïtien tandis que Rodney qui, en chemin, hurlait de faim à chaque feu rouge, prend de l'avance et se rue sur les cuisses de poulet servies en guise d'entrée.

– Ces cuisses de poulet, il n'y a que toi qui en as le secret, Maguy, lâche-t-il la bouche pleine.

– Ah non, c'est moi qui les ai préparées, il faut rendre à César ce qui est à César ! rétorque Laferrière depuis la cuisine.

Les enfants viennent nous saluer puis repartent dans leur chambre au sous-sol avec des cadeaux que Rodney leur a offerts.

– Il ne fallait pas, dit Maguy, gênée par cette gentillesse.

Sans lâcher sa cuisse de poulet, Rodney parvient à lui répondre :

– Ce sont mes nièces, Maguy... Un oncle n'arrive pas les bras ballants comme ça !

Je file vers la cuisine jeter un œil sur la progression des exploits de Laferrière.

Il est plus qu'actif : tout sera prêt dans quelques minutes, me rassure-t-il. En attendant, nous passons tous les deux en revue la vie littéraire française. Son dernier livre, *L'énigme du retour*, paru chez son éditeur parisien Grasset, est plutôt très bien accueilli par la critique. Est-il heureux de cette réception ?

– Je suis en dehors de tout cela, mais ça fait toujours plaisir, soyons honnêtes, concède-t-il.

Nous parlons longuement de ce livre qui lui tient tant à cœur et dont il m'envoyait parfois quelques passages alors qu'il progressait dans son écriture. *L'énigme du retour* est comme un chant de rédemption. Il n'avait jamais dévoilé cette part « sombre » de son existence avec autant de détails sur Windsor Laferrière, ce père qu'il n'a vu que sur une photo. Un père poussé à l'exil par Papa Doc et qui s'était retranché depuis une cinquantaine d'années dans un minuscule appartement de New York avec pour seul bien une petite mallette déposée dans une banque et dont il gardait précieusement le secret du contenu. Dans le « roman », le père vient de mourir et Dany se rend aux funérailles à New York avant de ramener le corps en Haïti pour l'enterrement. Le parcours du fils est étrangement semblable à celui du père : contraint à l'exil lui aussi, Dany a quitté Haïti, mais sous le régime de Bébé Doc, le fils de Papa Doc. Une espèce d'« énigme du retour » des choses : les pères s'étaient affrontés entre eux, les fils poursuivent ce duel sans merci. D'un côté le clan du dictateur qui estimait à lui seul écrire l'Histoire de la première république noire ; de l'autre côté Windsor, opposant politique convaincu que c'était au peuple d'écrire l'Histoire d'une nation. Lorsque, menacé, il quitta Haïti pour Montréal, Dany n'avait que vingt-trois ans et ignorait qu'il vivrait un exil de plus d'une trentaine d'années dans ce nord où le froid reproche souvent aux gens du sud leur habitude du soleil. Sa baignoire deviendra son espace secret, la géographie de son Haïti. Le jeune journaliste deviendra un écrivain, publiera *Comment faire l'amour avec un Nègre sans se fatiguer*, roman qui lui assurera une renommée internationale. Le père, l'observant à distance, refusera même d'ouvrir la porte un jour où son fils débarquera à New York. Il était loin de se douter que Dany ne garderait de lui que l'image d'un homme immobile... Trente-trois ans plus tard donc, le fils sera finalement de retour en Haïti avec le corps du père. Et là-bas, depuis la fenêtre de sa chambre d'hôtel, il constatera que son pays natal lui était désormais étranger. La mère était heureusement là, protectrice, de même que la grand-mère adorée, évoquée dans plusieurs de ses livres et qui reposait désormais dans un cimetière. Mais c'était son neveu que Dany allait choisir comme «guide», un neveu qui s'appelle lui aussi Dany Laferrière et qui rêve de devenir écrivain et qui faisait alors découvrir à son oncle une autre patrie. Pour Dany, *L'énigme du retour* deviendra le livre de la Renaissance qui fait écho aux «*Énigme de l'arrivée*» du romancier V.S. Naipaul et du peintre Giorgio De Chirico...

Laferrière m'écoute sans m'interrompre. Je lis de la tristesse sur son visage juste au moment où il réussit à retourner les choses en me tapotant sur l'épaule.

Il ôte son tablier comme pour signifier qu'il faut maintenant s'orienter vers la table que Maguy et Rodney ont préparée à l'autre bout de la salle à manger...

*

Nous assommons Dany de compliments pour ce plat exquis et, dans un élan de fausse modestie, il bredouille :

– Oh, vous savez, je ne suis pas encore digne de concurrencer ma mère... Elle, rien qu'avec un avocat et un bout de pain, elle te fait un plat à donner des complexes aux plus grands chefs du monde !

Maguy met subitement fin à ce concert de félicitations :

– Il n'y a pas assez de sel, Dany...

– Mieux vaut pas assez que trop, rétorque Rodney.

Laferrière opine de la tête avant de prendre sa propre défense :

– N'écoutez jamais Maguy : elle est capable de reprocher à Dieu d'avoir trop salé la mer et oublié les fleuves et les rivières ! En fin de compte, c'est sa façon de me complimenter...

Nous éclatons de rire.

Rodney est le plus volubile de nous tous, et Maguy décoche une autre flèche empoisonnée :

– Les cuisses de poulet, ça rend bavard ! Ah ! Ah ! Ah !

Nos éclats de rire ne découragent pas pour autant l'éditeur haïtiano-québécois qui nous parle maintenant de la publication des *Années 80 dans ma vieille Ford* comme un des moments les plus mémorables de sa carrière d'éditeur :

– Ce livre de Dany est pour moi un repère. Tout est dedans, je vous dis ! Et Dany n'était pas encore Laferrière, il avait à peine vingt ans quand il écrivait ces textes ! Il aurait même pu intituler ce livre *Comment devenir écrivain sans se fatiguer*... Cet ouvrage a donné une ligne à ma maison car, quand je l'ai fondée en 2003 ici à Montréal, je voulais réunir des auteurs de diverses origines autour d'une seule et même exigence : l'authenticité des voix...

Il se saisit d'un gros morceau d'igname et poursuit :

– Aujourd'hui j'en suis fier lorsque je parcours mon catalogue : c'est un lieu-carrefour où se tissent rencontres, dialogues et échanges pour que les voix soient visibles et vivantes... J'aime beaucoup le titre d'un roman de ma compatriote Emmelie Prophète que j'ai édité : *Le bout du monde est une fenêtre*...

Observant un moment le silence et prenant un air grave, il nous demande :

– Vous êtes-vous déjà demandé un seul instant à quoi servait une fenêtre, hein ? Ce n'est pas que pour aérer une pièce ou pour l'éclairer, non ! C'est par cette ouverture que les rêves et les échappées sont possibles ! Emmelie Prophète nous rappelle qu'une fenêtre permet de voir nos limites, d'apercevoir ces choses qu'on ne peut pas toucher, celles auxquelles on n'a pas accès. Oui, le bout du monde est vraiment une fenêtre !...

*

Juste avant le dessert, je pose mon téléphone portable sur la table, devant Laferrière, et appuie sur le bouton d'enregistrement.

Notre hôte vient de deviner mon entreprise :

– Quoi, une interview ?

– En fait je...

– C'est pour tes étudiants américains ? Ils sont insatiables, ces petits ! Si je comprends bien, il faut que je sois sérieux quelques minutes comme en face d'un vrai journaliste ?

– Surtout pas, sois Laferrière...

– Ah, ça par contre je sais le faire mieux que quiconque !
Alors, allons-y !

*

*Nous nous sommes vus pour la première fois au début
des années 1990 à Paris, au Salon du livre. C'était mon premier
salon, et je crois que tu étais le seul écrivain avec qui j'avais réellement échangé...*

Oh, tu sais, je m'en souviens comme si c'était hier ! Je crois
que ce qui m'avait fait voir en toi le jeune homme que je fus
c'était ta manière d'être et non parce que tu venais de commencer. Tu étais un peu à l'écart, secret, discret, et pourtant
prêt à sauter ! Comme tu n'étais pas dans le bruit et dans
la rumeur, je me disais alors : « Il a quelque chose dans le
ventre, celui-là ! » Quand j'ai commencé à écrire j'évitais les
lancements de livres car je voulais qu'on me voie le moins
possible. Il y avait quelque chose en moi que je protégeais :
un cheval prêt à sortir et, disons-le, à franchir le chemin au
galop. Je le protégeais jalousement pour lui donner encore
plus de force, plus de puissance. Les écrivains africains et
caribéens que je connaissais à l'époque avaient toujours ce
discours mégalomane qui faisait qu'ils avaient l'impression
d'être arrivés avant même d'avoir entamé quelque chose.
Or toi, tu m'avais dit : « Je viens de publier un recueil de
poèmes, même RFI ne m'a pas demandé d'interview. » Et
tu l'avais dit spontanément alors que les autres faisaient
les fiers, comptabilisaient les interviews qu'ils avaient
accordées ici et là. Tu me laissais donc entendre, et le plus

naturellement du monde : « Moi je suis à la traîne, ça ne marche pas pour moi. » Je me suis murmuré : « Ce type est comme moi à mes débuts : il a une insatisfaction qui n'est pas de la rancœur, ni de l'amertume, mais une sorte de grand appétit du monde... »

En 2001, dans Je suis fatigué, *tu affirmais : « La plupart des gens que je connais (surtout ceux que je rencontre dans les cafés) rêvent d'écrire. Mon rêve c'est de ne plus écrire. Il suffit de le dire pour que tout le monde vous tombe dessus. » Tu avais même plaisanté en précisant : « Calmons-nous les gars, ce n'est quand même pas Márquez ou Naipaul qui annonce qu'il n'écrit plus. Ce n'est que Laferrière... » Et pourtant depuis, les lecteurs retrouvent régulièrement tes nouveaux romans chez Grasset...*

J'ai certes dit que je ne voulais plus écrire, mais je n'ai jamais dit que je ne voulais plus publier ! Et puis, entre nous, il y a des gens qui continuent à publier deux cents ans après leur mort ! Prends l'exemple de mon compatriote Alexandre Dumas – puisque sa mère est haïtienne, je peux donc l'appeler « mon compatriote » –, on continue à trouver des manuscrits de mille pages de cet auteur ! Je le dis pour les gens qui me détestent – et j'espère qu'ils existent –, parce qu'ils auront encore à boire du Laferrière même après sa mort ! Je sais que c'est embêtant, mais c'est comme ça !

En fait, tu as entrepris quelque chose d'à la fois particulier et spectaculaire : tu réécris certains de tes livres ! Tu coupes, tu rajoutes, tu changes parfois le sens de l'intrigue, etc. Est-ce pour

les écrire d'une autre manière ou bien c'est la légendaire coquet-
terie du peintre qui ne sera jamais satisfait de sa toile ?

Il y a un peu de tout ça. L'écrivain est quelqu'un qui se délimite un espace très étroit et qui fouille pour aller jusqu'au fond de la terre. Le lecteur ou l'érudit est quelqu'un qui veut un espace plus horizontal, qu'il peut élargir le plus vastement possible. L'écrivain va le plus profondément sur l'espace le plus limité. Cet espace, pour moi, c'est l'ensemble de mes romans. J'estime ainsi avoir délimité mon territoire, et là, je l'arpente, j'essaie de l'habiter. Du coup, je réécris beaucoup de mes livres sous diverses formes. Les réécritures, contrairement à ce qu'on pense, ne sont pas si simples. Il ne s'agit pas d'ajouter des mots, encore moins des phrases dans le but de gonfler un peu l'affaire. Il me faut un trou, et c'est dans celui-ci que je m'insère. Chaque réécriture a un sens, une justification. Par exemple, dans *Le goût des jeunes filles* je rajoute le journal d'une des jeunes filles parce que j'ai estimé que même si celles-ci vivaient dans la première version, elles n'avaient pas pour autant de parole personnelle. J'ai donc pris l'une d'entre elles – la plus effacée –, et je lui ai fait écrire un journal afin d'élargir l'œuvre. *La chair du maître* était un recueil de nouvelles assez bancal, et beaucoup l'aimaient pour son côté fouillis. Je me suis pourtant dit que je pouvais en faire un livre plus incisif, plus direct en revisitant toutes les nouvelles qui évoquaient les femmes venant du nord et qui allaient vers le sud : cela a donné finalement le roman *Vers le sud*. Les nouvelles de *La chair du maître* seront publiées un jour sous le titre

À l'horizon des fièvres. Elles se passeront plutôt en Haïti, dans le sud – j'aurais même pu donner pour titre *Le sud*, mais ce titre est déjà pris par un autre auteur, le regretté Yves Berger. Quant à *L'odeur du café*, je l'ai réécrit sous forme de livre pour la jeunesse paru au Québec aux éditions de la Bagnole sous le titre de *Je suis fou de Vava*. Enfin, dans la première version de *Cette grenade dans la main du jeune Nègre est-elle une arme ou un fruit ?*, le personnage central doit exécuter une commande : un reportage sur l'Amérique. Dans ma réécriture, j'ai rajouté un reportage qui n'existait pas dans cette mouture et qu'on trouve désormais dans la version parue en France chez Grasset. Dans cette nouvelle version, je fais le reportage sur l'Amérique. C'est un grand journal américain qui a commandé ce reportage à un écrivain! Tiens donc, ça ne te rappelle pas quelque chose ?

En effet, ça me rappelle bien American Vertigo *de Bernard-Henri Lévy! Mais ton livre est paru bien des années avant! Bon, laissons le philosophe de côté... Selon toi, comment devrait-on saisir l'objectif de ce (re)travail herculéen ?*

À un moment donné – je parle en tant qu'écrivain du tiers-monde, ce que je ne fais jamais – il nous faut concevoir la littérature. Nous ne pouvons plus nous contenter de raconter des histoires, aussi intéressantes soient-elles. Ma conception est celle de la réécriture, donc de l'idée du «réécrivain». Pour faire quelque chose de neuf, il faut toujours éliminer du vieux. L'œuvre pour moi est un ressassement, une répétition.

*Que réponds-tu à certains qui te reprochent parfois la « légè-
reté » de ton écriture ?*

Oh, tu sais, la littérature est une affaire de temps. Ce
sont mes livres qui doivent répondre à ma place. Ceux qui
écrivent le savent bien : il faut apprendre à laisser parler nos
livres. Quand on écrit, on ne peut pas perdre son temps
à répondre à ceux qui vous aiment ou ne vous aiment
pas. La réponse d'un livre est d'ailleurs terrible : elle peut
prendre des années et, quand le livre se retourne, il n'y a
plus personne derrière. Tout le monde devient obsolète,
caduc, les gens sont encore vivants, mais sont morts comme
écrivains ! Le livre considéré comme léger va encore plus,
nez au vent, continuer son trajet, n'écoutant personne,
même pas son auteur ! J'ignore lequel de mes livres ira sur
cette route-là. C'est dire que le livre ne répond même pas
à ma voix quand je l'appelle...

*Justement, au sujet du livre qui, à mon avis, suit cette voie,
« nez au vent » : dès qu'on prononce le nom Laferrière, c'est tout
de suite le titre* Comment faire l'amour avec un Nègre sans
se fatiguer... *Comment vis-tu cette situation d'un ouvrage qui
te colle ainsi à la peau ?*

C'est mieux d'avoir un vrai roman « poisson-pilote »
que de ne pas en avoir du tout ! Certes les lecteurs continuent à parler de *Comment faire l'amour avec un Nègre sans
se fatiguer*, mais ils ont l'impression toutefois que j'ai élargi
l'œuvre. S'ils en parlent encore aujourd'hui, c'est parce que
j'ai publié autre chose. Il y a des gens qui pensent qu'être

l'auteur d'un seul livre, c'est avoir publié un seul livre ! Or pour qu'un livre continue à vous suivre, il faut placer d'autres livres.

Beaucoup pensent que la vraie question se joue entre la bonne et la mauvaise littérature et non entre les répartitions géographiques des Lettres...

Et même là encore, je me demande si cette mauvaise ou bonne littérature n'est pas liée simplement à des sensibilités. On peut aimer un livre parce qu'il nous est inférieur. Il nous donne alors la possibilité de croire que nous pouvons faire quelque chose de mieux. La question de bonne ou mauvaise littérature est aussi typée que les autres questions. Pour aimer globalement, il faut avoir établi des canons. Ceux-ci sont liés aux intérêts, aux sensibilités, aux groupes déterminés, à l'Histoire... Or pour exporter les livres il faut deux choses : la puissance et l'argent. On ne nous a jamais dit qu'on achetait les pays ! En effet, quand un écrivain québécois va en Suède, s'il a des gens qui viennent l'écouter à sa conférence, c'est parce que le gouvernement du Canada et la Délégation du Québec ont payé des études pour que ces gens-là puissent étudier la littérature québécoise. Il ne faut pas croire une seconde que le roman de ce Québécois a fait naturellement son chemin jusqu'à arriver chez ce Suédois. Les gens lisent la littérature de leurs voisins. Ils ne bougent pas – et pour les faire bouger, il faut vraiment les déstabiliser. Pour cela, soit vous leur faites croire qu'ils vous sont inférieurs – c'est le principe colonial –, soit vous les achetez avec de l'argent. La question de la bonne ou mauvaise littérature est donc elle-même questionnable, sinon il n'y aurait pas d'élan patriotique. Les gens sont capables d'aimer quelque chose de mauvais juste parce que ça remplit leur espace sensible.

Lorsqu'on est un auteur établi comme toi, on est régulièrement sollicité par les « aspirants à l'écriture ». Quels conseils donnes-tu à ces écrivains en herbe ?

Il n'y a rien de plus pénible qu'un auteur en herbe : c'est un lecteur perdu. Il deviendra d'ailleurs plus tard le rival absolu. Si c'est un auteur africain ou caribéen, il bénéficiera du chemin que nous aurons tracé. Et quand cet auteur en herbe arrivera enfin, nous aurons tellement frappé à la porte qu'elle s'ouvrira toute seule devant lui. Et il va se croire meilleur que nous ! Si j'avais des conseils à lui prodiguer – et je n'en ai pas –, je lui donnerais tout de même de mauvais conseils pour qu'il puisse au moins se casser la gueule ! Plus sérieusement, il faut dire que beaucoup de gens qui viennent nous parler de livres rêvent d'écrire, et j'ai envie de leur dire : « Mais pourquoi voulez-vous écrire des livres ? Il y en a tellement, et de si bons, pourquoi ne vous contentez-vous pas de les lire ? » Chaque personne a certes le droit de s'exprimer comme elle l'entend, mais parfois on perd un bon lecteur parce qu'il pense que ça fait joli d'être un écrivain...

Qu'est-ce que tu es en train d'écrire... ou de « réécrire » actuellement, et que penses-tu de la question du lectorat ?

Oh, je vais tenter peut-être de réécrire quelque chose que j'ai déjà réécrit une fois ! Je ne pense pas que la société soit en mesure de prendre ça si tôt... Le lectorat ? Il n'y a pas de grands écrivains sans lecteurs. L'écrivain quel qu'il soit douterait s'il n'avait pas de lecteurs, sauf des fous furieux comme Kafka. Il faut l'écho, l'écriture est un métier qui joue sur les nerfs. Et si deux ou trois personnes les perdent, ce n'est pas grave.

Pour terminer, je n'ose te cacher que la piscine qui est derrière ta maison me fascine : tu as ainsi le rare privilège d'avoir une piscine sans eau !

Entre la piscine sans eau ou l'eau sans piscine, j'ai choisi la piscine sans eau ! Généralement quand les gens s'y baignent, ils crient parce que l'eau est froide ou qu'il n'y a pas d'eau ! En réalité, si on fait une piscine sans eau, ça donne l'impression que l'eau est en permanence froide... La piscine sans eau me rappelle d'ailleurs l'aphorisme : « C'était un couteau sans manche et qui n'avait pas de lame »...

*

Une petite pluie tombe depuis une demi-heure.

Maguy, qui avait disparu quelques minutes avant notre entretien, lance à notre intention :

– Vous avez fini de changer le monde ? Je vois que vous avez déjà dévoré mon dessert fait maison !

Rodney sort un cigare de la poche intérieure de sa veste. Nous le fusillons tous du regard pendant qu'il murmure :

– C'est juste pour frimer, je ne vais pas le fumer...

Maguy est tout d'un coup soucieuse :

– Dany, s'il continue à pleuvoir comme ça ils peuvent dormir ici, il y a suffisamment de place...

Laferrière se tord de rire au moment où nous nous levons pour prendre congé :

– Maguy, je te rappelle qu'ils sont véhiculés et qu'il ne pleut jamais dans une voiture... Enfin, sauf si c'est une décapotable et qu'on veut « frimer » comme Rodney et son cigare...

Le couple nous regarde rejoindre à grandes enjambées la voiture. Nous nous engouffrons vite dans l'automobile dont le moteur toussote un moment avant de s'allumer enfin.

– C'est toujours pareil : ce véhicule a horreur de l'eau, même une rosée la met de mauvaise humeur. J'en prendrai une autre de toute façon le mois prochain !

Nous roulons lentement et, à cette allure, nous mettrons plus d'une heure avant d'arriver dans le quartier résidentiel d'Outremont où Rodney m'hébergera encore pendant deux jours avant mon retour à Los Angeles.

Je me retourne instinctivement et aperçois de loin Maguy et Dany qui continuent à agiter leur main en guise d'au revoir...

LONDRES

> « *Conrad présentait l'Afrique comme un autre monde, un monde de la bestialité, l'antithèse de l'Europe, par conséquent de la civilisation.* »
>
> Chinua ACHEBE

Lorsqu'on me proposa – comme quelques mois avant aux écrivains Caryl Phillips, Sven Lindqvist, Juan Gabriel Vásquez, entre autres – l'expérience d'écrire une nouvelle pendant quarante-huit heures dans une pièce insolite perchée au-dessus de Queen Elizabeth Hall et qui domine le Southbank Centre, je contins un fou rire, convaincu désormais que les Britanniques demeuraient de très loin les plus grands maîtres de l'humour noir !

Pourtant, quelle ne fut pas ma surprise de me retrouver effectivement dans une reproduction du célèbre *Roi des Belges*, le bateau sur lequel navigua l'écrivain Joseph Conrad pour l'État indépendant du Congo – c'était ainsi qu'on appelait ce vaste territoire sur lequel Léopold II, roi des Belges, avait décidé d'exercer une autorité et d'en faire sa possession privée...

À l'intérieur de ce *Roi des Belges*, j'avais à la fois l'impression d'être dans la ville, en plein cœur de Londres, mais aussi isolé tel Robinson Crusoé dans son île. Je devais étouffer mon excitation grandissante pour m'imaginer pendant quelques instants que je me retrouvais sur le fleuve Congo, avec son histoire qui défilait sous mes yeux.

Je bénéficiais en tout cas de la plus belle vue sur la Tamise depuis mon petit refuge conradien. Quelques embarcations passaient remplies de touristes qui me guettaient avec curiosité, me montraient parfois du doigt, se demandant ce que tramait un grand Noir sur le toit de cette ville. Ils s'imaginaient peut-être qu'un film se tournait là-dessus et que j'étais un cascadeur en train de doubler l'acteur principal dans la scène la plus importante du scénario. Ou alors un cambrioleur sans génie, voire un ouvrier qui réparait la toiture...

Conrad rôdait partout dans la pièce où étaient rangées quelques-unes de ses œuvres – des « versions » variées d'*Au cœur des ténèbres*, notamment une adaptation en bande dessinée de David Zane Mairowitz, avec des illustrations de Catherine Anyango. C'était comme si Conrad surgissait lui-même des pages de son œuvre majeure dans le dessein de me raconter l'odyssée de son personnage Charles Marlow, cet officier britannique de la marine marchande embauché par la Belgique et qui entama la remontée du cours du fleuve Congo...

Dans le petit salon de « l'embarcation », j'étais intrigué par une petite fenêtre discrète à gauche, à côté d'une autre, vitrée et qui dispensait de la lumière dans la pièce. En ouvrant la première je tombai sur un glossaire des termes nautiques et plusieurs images du fleuve Congo dont une représentant la vue de ce cours d'eau depuis un aéroplane. Il ressemblait à un long boa paresseux, indécis, mais repu et qui ne savait plus vers quelle direction s'orienter.

Comment n'aurais-je pas pu m'attarder sur une autre image en noir et blanc d'un vieil homme avec une longue barbe blanche de poète en exil, le genre Victor Hugo qui écrivit *Les Châtiments* depuis son exil de Guernesey? Or cet homme n'était pas Victor Hugo. Je lus sous la photo la simple indication : *Roi des Belges*. C'était Léopold II, celui-là qui était obsédé par la création d'un État dans le bassin du Congo et qui s'appuya sur les services de l'explorateur britannique Henry Morton Stanley, avec qui le roi passa un marché en 1878. Comme d'ailleurs Charles Marlow dans le roman de Conrad. Preuve que l'auteur s'était largement inspiré des récits de Stanley pour écrire *Au cœur des ténèbres*. Cette «association» de Léopold II et de Stanley annonçait le début du morcellement de l'Afrique : Stanley allait acheter plusieurs terres au Congo pour le compte du roi des Belges. Ces terres devenaient la propriété privée de ce roi, et Stanley, plus tard, pour honorer le souverain, allait donner à un village congolais le nom de «Léopoldville», lieu qui est devenu l'actuelle capitale du Congo démocratique, Kinshasa.

Si les Belges avaient eu recours à un Britannique pour «prendre» une partie des terres d'une des deux rives du Congo, sur l'autre rive les Français avaient employé un explorateur d'origine italienne, Pierre Savorgnan de Brazza

– l'homme qui a ouvert la voie de la colonisation en Afrique centrale pour le compte de la France.

Voilà donc deux grandes puissances de l'époque (la Belgique et la France) qui, pour étendre leur rayonnement en dehors de leurs terres, avaient besoin des services des explorateurs d'autres nations puissantes : l'Italie et la Grande-Bretagne. Comme la Belgique et la France se chamaillaient pour ces terres congolaises – chacun des deux pays en réclamait la pleine propriété –, il avait fallu une rencontre des nations, la fameuse « conférence de Berlin », en 1884, pour calmer les appétits. L'Europe s'était alors réunie afin de se partager l'Afrique, et donc d'instaurer la colonisation du continent.

La Belgique eut comme possession l'actuel Congo-Kinshasa, et la France le Congo-Brazzaville, un petit territoire certes, mais nanti de pétrole...

*

Allongé dans mon lit, j'avais entre les mains un exemplaire d'*Au cœur des ténèbres* en version française car il m'était difficile de comprendre en anglais la plupart des ces termes nautiques qu'utilisait avec délectation l'auteur. Une véritable prouesse pour cet écrivain d'origine polonaise quand on sait qu'il ne parlait pas couramment l'anglais jusqu'à l'âge de vingt ans et qu'il deviendra l'un des plus grands auteurs anglophones du XXe siècle.

Pendant que je relisais ce roman, je ne cessais de songer à la plupart des reproches formulés à son encontre par certains écrivains africains, en particulier le grand romancier nigérian Chinua Achebe. Pour celui-ci, Conrad nous montrait une Afrique « trop sombre » et dans laquelle on ne voyait que sorcellerie et protagonistes obscurs qui n'étaient, de toute façon, pas de vrais personnages dans le roman. Un roman se passant en Afrique peut-il gommer ou mettre en arrière-plan les Africains ? Ceux-ci, d'après Achebe, n'étaient qu'une « matière », des objets d'une analyse que Conrad avait décidé de faire du continent noir. À la rigueur, insinuait l'auteur nigérian, ce qui importait pour Conrad, c'était ce long voyage, c'était la remontée du mythique fleuve Congo par son personnage principal mandaté par les Belges. Il n'y avait donc pas une vraie introspection, encore moins un regard intérieur qui aurait pu aider à saisir « l'âme » de ces populations africaines puisque l'auteur anglais présentait l'Afrique comme un « autre monde », un monde de la bestialité, « l'antithèse de l'Europe, par conséquent de la civilisation »[1].

Au cœur des ténèbres commence en effet sur cette Tamise que j'apercevais depuis mon *Roi des Belges* londonien – cours d'eau plutôt « tranquille » et incarnant la civilisation occidentale – et se poursuit sur le lieu réel que visait Conrad : le fleuve Congo. Que reprochait alors Achebe à l'auteur anglais ? Le romancier nigérian était convaincu que Conrad, dans un élan manichéen, opposait la Tamise au fleuve Congo, en clair la civilisation à la barbarie. Pourtant, dans le même temps, il rendait un des hommages les plus vibrants

---

1. Chinua Achebe, « An Image of Africa: Racism in Conrad's *Heart of Darkness* », *Massachusetts Review*, n° 18, 1977.

à celui qu'il reconnaissait comme «un des plus grands stylistes de la fiction moderne».

Un auteur africain pourrait-il de nos jours «défendre» Conrad, se reconnaître en lui sans pour autant être accusé de légitimer la littérature coloniale et, au-delà, la colonisation dont elle assurait plus ou moins la promotion? Cet auteur africain serait en tout cas considéré comme un «complice» de l'idéologie coloniale.

Pourtant, ce serait oublier que la littérature africaine en langues européennes est de près ou de loin issue de la littérature coloniale. Avant que nous ne connaissions l'émergence des études dites «postcoloniales» aux États-Unis et le bouillonnement littéraire apporté plus tard par des auteurs comme V.S. Naipaul, Nadine Gordimer ou Salman Rushdie, pour ne citer que ceux-là, jusque dans les années 1960 la vision que le monde anglophone où parut *Au cœur des ténèbres* avait du continent noir provenait essentiellement des auteurs irlandais, britanniques et de l'Amérique du Nord. Ces textes sur l'Afrique – des récits de voyages, de propagande, des poésies exotiques, des Mémoires de colons, des romans d'aventures, etc. – avaient pour caractéristiques de camper en «arrière-plan» l'Africain, souvent sans parole, la plupart du temps dans une position humiliante et «préhistorique». Tout l'enjeu de la jeune littérature africaine allait consister à renverser les choses, à ne pas, comme dit le proverbe africain, accepter que l'on bêle à la place de la chèvre lorsque celle-ci est présente. Et ce fut le même processus dans le monde francophone lorsque, devant la littérature coloniale française, les auteurs africains tels le Sénégalais Ousmane Sembène, le Guinéen Camara Laye, le Camerounais Mongo Beti et bien d'autres encore, «donnèrent» la parole aux Africains dans leurs romans, entre révolte, combat pour l'émancipation de leur nation et désir de montrer au monde la vraie photographie de leur continent captée avec leur propre objectif.

Paru en 1902, *Au cœur des ténèbres*, au-delà du génie de l'auteur, ne se démarquait pas dans le fond de l'orientation coloniale. Cependant, on peut percevoir le regard caustique de Conrad, à peine voilé, vis-à-vis des abus de la civilisation occidentale, par exemple lorsqu'il s'insurgeait contre des Français qui bombardaient le Dahomey, donnant peut-être naissance à une «autre» littérature européenne, celle de «l'indignation». Je pense à André Gide et son *Voyage au Congo* publié en 1927. Gide avait, lui aussi, remonté le fleuve Congo et noté dans son ouvrage la condition lamentable dans laquelle les populations colonisées vivaient. Il tenait pour responsables les compagnies concessionnaires occidentales qui maltraitaient les indigènes dans ce qui n'était en réalité que du travail forcé.

Voyage au Congo apparaissait comme une enquête contre ces outrances, mais l'auteur français, c'est vrai, ne remettait pas pour autant en cause tout le système colonial! Il était même persuadé qu'il fallait une autorité de l'homme blanc pour éviter aux pauvres Nègres une «pagaille» qui leur serait fatale.

Une année après Gide, Albert Londres publiera *Terre d'ébène*, un plaidoyer contre le système colonial qui perpétuait l'esclavage à travers la construction des chemins de fer en Afrique. La charge est directe, et la colonisation attaquée de front. Le livre fut critiqué par une Europe qui fondait alors son développement sur la continuité de la colonisation...

*

Je sentais le sommeil qui alourdissait mes paupières, et j'avais un peu faim. Je me levai pour aller vers la cuisine.

Depuis la fenêtre, j'aperçus la grande roue, cette sorte de manège que les Anglais appellent *The London Eye*. Elle a été construite pour célébrer l'an 2000, d'où son autre nom de *Millenium Wheel*, autrement dit la grande roue du millénaire. Je m'imaginais à l'intérieur, me disant que je tournais avec l'Histoire, mais dans le sens contraire pour revenir à l'époque où Conrad était à l'intérieur du *Roi des Belges*.

Entre cette roue et le bateau pris par Conrad, quel était le lien ? Une question à laquelle je ne pouvais répondre. Peut-être avais-je trop pensé au Congo, à la colonisation, au voyage le long du fleuve Congo ? Tout ce qui bougeait me paraissait provenir d'un autre temps. L'existence était sans doute une roue qui tournait et s'arrêtait à un moment. Tout comme *The London Eye*. Je me faisais cette réflexion au moment où je regagnais le lit avec un bout de sandwich à la main.

Je pris la résolution de dormir en laissant toutes les fenêtres ouvertes. Lorsque les lueurs de l'aube arriveraient, j'aurais le sentiment que ce bateau sur lequel je me trouvais irait accoster quelque part en Afrique et que je descendrais afin d'aller à la rencontre des populations. Je leur

demanderais s'ils avaient connu un bateau qui s'appelait
Roi des Belges et s'ils avaient aperçu la barbe d'un écrivain
qu'on appelait Joseph Conrad, qui avait laissé à la postérité
un chef-d'œuvre intitulé *Au cœur des ténèbres...*

MAKÉLÉKÉLÉ (BRAZZAVILLE)

> *« Le monde est par terre, c'est comme si on ne voulait plus de poètes après Senghor, Damas et Césaire ! »*
>
> Sony LABOU TANSI

À sa parution en 1979, le roman *La vie et demie* créa une telle effervescence au Congo que tout le monde rêvait de rencontrer son auteur, Sony Labou Tansi, un modeste professeur d'anglais et de français dans un collège de l'arrière-pays, rappelait-on comme pour mieux enraciner la légende de l'écrivain issu du peuple et proche de celui-ci.

S'imposant dès ce coup d'éclat comme le seul auteur congolais d'envergure internationale et publié par un grand éditeur parisien, Sony devint l'ambassadeur de nos Lettres. Rares étaient pourtant les Congolais qui avaient acquis ou lu ce livre, sans doute à cause du prix exorbitant qu'affichaient les deux librairies de Brazzaville qui se contentaient surtout de commander les livres mis au programme par l'Institut national de recherche et d'action pédagogique (l'INRAP). Les trois exemplaires de *La vie et demie* achetés

101

par la bibliothèque du Centre culturel français étaient sans cesse empruntés par les plus ingénieux qui les gardaient pendant plus de deux mois, le temps de les recopier intégralement dans un cahier. Ils passaient ensuite dans le quartier et hurlaient :

– J'ai *La vie et demie* ! Cent francs CFA pour la lecture !

En effet, pour cent francs CFA on pouvait alors lire pendant deux jours ce manuscrit. Le « propriétaire » était intransigeant quant au délai de location puisqu'il repassait quarante-huit heures plus tard devant le domicile de l'emprunteur accompagné de quelqu'un qui attendait son tour. Les retardataires n'avaient pas le choix car le « propriétaire » leur arrachait le manuscrit des mains en tempêtant :

– Je t'avais dit deux jours ! Ce type qui est avec moi attend ça, et il m'a payé le double du prix… !

Sony nous paraissait donc lointain, inatteignable. Du moins c'était ce que nous pensions dans notre petit cercle des « apprentis écrivains » du Plateau des Quinze-Ans, l'un des quartiers de Brazzaville ayant la réputation d'être celui des intellectuels parce qu'il était le lieu où résidaient les étudiants des facultés de Lettres et de Droit de l'université Marien-Ngouabi. On avait d'ailleurs surnommé ce quartier « le Campus » et, dans notre cercle d'écrivains en herbe, beaucoup étaient devenus des épigones de Sony, reprenant sous toutes les coutures les premières phrases de *La vie et demie*, avec ses accents de conte :

« C'était l'année où Chaïdana avait eu quinze ans. Mais le temps. Le temps est par terre. Le ciel, la terre, les choses, tout. Complètement par terre. C'était au temps où la terre était encore ronde, où la mer était la mer, où la forêt... Non! la forêt ne compte pas, maintenant que le ciment armé habite les cervelles. La ville... mais laissez la ville tranquille.»

Ce roman apporta un souffle nouveau aux littératures africaines. Mieux encore, il fut considéré comme une étape fondamentale de la fiction africaine qui, jusqu'alors, se cherchait, s'évertuait à se démarquer du classicisme hérité du réalisme français et du «militantisme nègre» prôné par le courant de la négritude. Un écrivain africain devait forcément exalter les civilisations noires, parler au nom de la communauté, en général contre l'Occident, le colonialisme et le néocolonialisme.

S'il y a trois romans qui reviennent sans cesse comme les plus marquants dans la littérature d'Afrique noire d'expression française, ce sont ceux de Yambo Ouologuem (*Le devoir de violence*), d'Ahmadou Kourouma (*Les soleils des indépendances*), et de Sony Labou Tansi (*La vie et demie*). Au sujet de ce dernier, la critique française fut laudative. On parla d'une écriture rabelaisienne. On fit le parallèle avec l'univers latino-américain, en particulier celui de Gabriel García Márquez.

C'était cet écrivain que je souhaitais rencontrer dans les années 1980 à l'époque où j'étais un étudiant à l'université de Brazzaville...

Sony Labou Tansi habitait à Makélékélé. Il suffisait de se rendre dans ce quartier populaire de Brazzaville, de demander à n'importe quel quidam pour dénicher le domicile de l'auteur qui, aux dires de tous, était le plus abordables de nos auteurs, « comme s'il n'était même pas un écrivain ».

C'était un dimanche.

Un vieux car me déposa à l'entrée de Makélékélé. Je suivai une artère principale, accostai le premier individu. C'était une adolescente qui se rendait au marché de Bacongo avec sa marchandise sur la tête – une cuvette remplie de bananes.

– Je cherche le domicile de Sony Labou Tansi... fis-je.

La fille me considéra, déposa par terre sa cuvette et me demanda d'un air méfiant :

– C'est pas l'écrivain-là qui s'habille comme s'il n'était pas un vrai écrivain et qui se promène en sandales on dirait un Ouest-Africain qui vend au marché ?

Je fis oui de la tête.

– Il faut continuer tout droit, puis tu tournes à la troisième rue juste avant le flamboyant géant, puis tu continues encore tout droit, et tu vas tomber sur un terrain de foot : sa maison est juste à côté, avec de l'herbe partout. Tu ne peux pas la rater : c'est vraiment une vieille maison en planches !

Je l'aidai à remettre sa charge sur la tête et longeai la rue un peu boueuse à cause de l'orage qui s'était abattu sur la ville deux jours plus tôt.

Je dépassai le flamboyant géant et parvins jusqu'au terrain de foot où on jouait au volley-ball !

J'abordai un spectateur et l'implorai de me désigner la maison de l'écrivain parmi les trois ou quatre baraques en ruines qui se suivaient les unes les autres. Sans hésiter, il pointa plutôt du doigt un type qui portait une culotte en haillons et qui transpirait au milieu du terrain de football.

– C'est lui, Sony, il est occupé et il n'aime pas être dérangé quand il joue avec les petits du quartier...

– Alors je vais attendre la fin du match, je ne suis pas pressé.

À la mi-temps, Sony vint se rafraîchir auprès du type qui me l'avait désigné et qui lui remit une bouteille d'eau Mayo en lui chuchotant :

– Grand frère, ce gars bizarre et maigre comme une brindille cherche à te voir, mais je lui ai dit que tu jouais et puis...

Sony lui coupa la parole et se rua vers moi :

– Alors, comment ça va, mon brave ?

Sa bonne mine me déboussola. Je m'attendais à voir quelqu'un de distant, conscient de son rayonnement littéraire au pays.

Il héla l'arbitre :

– Remplacez-moi quelques minutes, j'ai de la visite.

Puis, s'adressant de nouveau à moi :

– Viens, mon brave, on sera plus tranquilles à la maison pour parler...

Sa parcelle était une espèce de petite forêt tropicale. On aurait dit qu'elle était rescapée des descriptions les plus farfelues de son propre roman. Il fallait écarter les branchages de manguiers et de papayers qui obstruaient le passage, emprunter une sente et déboucher enfin devant cette cabane en bois dont la porte semblait ouverte toute la journée et retenue de la sorte par une brique en terre cuite.

À l'intérieur, je remarquai deux grands posters du Che et de Bob Marley. Plusieurs cahiers à spirale traînaient sur la table de l'écrivain. Aucune machine à écrire. Aucune bibliothèque. Et moi qui croyais que pour écrire des livres on devait posséder des rangées entières de bouquins.

Mon attention fut par la suite captée par deux bougies allumées qui éclairaient la dernière page qu'il avait dû écrire le matin...

Il y avait un lit à peine rangé de l'autre côté de la pièce avec deux livres près du chevet : *Illuminations* de Rimbaud et *Chronique d'une mort annoncée* de García Márquez. « Enfin des livres ! » me dis-je.

— Assois-toi où tu veux, mon brave, c'est un peu le bazar quand j'écris. Je suis en train de terminer un bouquin que j'ai intitulé pour l'instant *Les sept solitudes de Lorsa Lopez...*

Je tirai un tabouret sous sa table de travail et pris place. Il s'assit par terre et s'adossa contre le lit :

— Alors, quelles sont les nouvelles ?

Cueilli à froid, je répondis :

— J'ai aimé *La vie et demie*, mais tout le monde vous l'a peut-être dit...

— Entre nous, mon gars, tu peux me tutoyer, on n'est pas à la télévision ici !

— En fait, de temps à autre j'écris, j'ai même une carte de membre de l'Union nationale des écrivains congolais et je...

— Ça ne sert à rien, cette carte ! me coupa-t-il. Qui ne l'a pas, cette carte, hein ? Et combien de ceux qui la possèdent publient vraiment des livres dignes de ce nom ? Zéro ! Est-ce que Dongala, Henri Lopes et Sylvain Bemba ont cette carte ? Non ! Ce pays est malade de titres et je ne voudrais pas que des jeunes comme vous autres attrapiez cette maladie. Laissez cette histoire de carte aux membres du Parti congolais du travail !

Se rendant compte que son emportement m'avait poussé au silence, il prit une voix conciliante :

— Et qu'est-ce que tu écris, mon brave ?

— De la poésie...

— De la poésie... C'est pas facile à publier ça !

Il se leva, secoua la poussière de son short et s'assit sur le lit avant de reprendre d'un air grave :

— Je dis aux jeunes écrivains qui viennent ici que j'ai aussi écrit des poèmes au départ... Hélas, les éditeurs les ont refusés alors que j'avais des préfaces des poètes les plus connus du continent et qui publient dans des grandes maisons d'édition ! Le monde est par terre, c'est comme si on ne voulait plus de poètes après Senghor, Damas et Césaire ! Mais cela ne veut pas dire que tu ne seras pas plus chanceux que moi ! Il faut toujours essayer, on ne sait jamais... Et tu n'écris vraiment pas de prose ?

— Non...

— Aujourd'hui tout laisse à penser qu'on a plus de chance d'éditer un roman qu'un recueil de poèmes. Je suis persuadé que certains éditeurs retournent les manuscrits des poètes sans même les parcourir. Et quels poètes lis-tu ?

— Les classiques français... les poètes congolais aussi.

— Y a pas que ça, mon brave. Il faut t'échapper, t'ouvrir au monde, découvrir Pablo Neruda, Octavio Paz, Giacomo Leopardi, Pouchkine et bien d'autres !

Il me nota sur un bout de papier les noms de ces poètes que je n'avais pas lus.

— Tu trouveras les livres de ces auteurs au Centre culturel français. Lire, beaucoup lire avant d'écrire. C'est le seul secret de l'écriture.

Il plongea une main sous son lit et sortit un cahier poussiéreux. C'était le manuscrit de son roman *La vie et demie*.

Il me le tendit.

— Jette un œil, tu verras comment j'ai travaillé et retravaillé *La vie et demie*! Tu me le rendras quand tu reviendras me voir, mais prends ton temps. Je m'excuse, je dois rejoindre l'équipe. Je suis sûr que mes amis sont en train de prendre une gamelle! Reviens n'importe quand, cette maison est la tienne, cher confrère...

Le mot *confrère* me fit sursauter. Était-ce de l'ironie?

Dehors, le jeu battait son plein. Quelques joueurs hélaient déjà l'écrivain.

— Reviens, on est menés!

Il prit le temps de me raccompagner jusqu'au flamboyant géant et repartit en courant.

Je me retournai : il était déjà au milieu du terrain, repoussant de ses deux mains le ballon dans le camp adverse sous les applaudissements des spectateurs qui ne l'appelaient pas Sony, mais *La vie et demie*...

Dans ma petite chambre d'étudiant, je ne pus résister à la tentation de décortiquer chaque page. C'était la première fois que je voyais un texte écrit à la main par un écrivain. Je le feuilletai le cœur serré par l'émotion et me demandai s'il le prêtait à chacun de ses visiteurs sans craindre que ces derniers ne l'égarent ou ne l'altèrent. Devant cette écriture droite et volontaire, j'en déduisis qu'il écrivait d'une traite, sans plan, mais avec la certitude du chemin qu'il suivait. Comme s'il «écrivait» d'abord son roman dans sa tête avant de le consigner dans un cahier.

J'ai gardé le manuscrit avec moi pendant un an, le relisant chaque fois que l'inspiration me faisait défaut ou que je doutais de mes propres poèmes.

Ayant obtenu une bourse d'études, je partis pour la France avec le cahier...

*

Je vivais à Paris depuis deux ans.

C'était un soir. Après les informations télévisées, on annonça les rendez-vous du lendemain. J'appris alors que Sony était un des invités de Jean-Marie Cavada dans «La Marche du siècle».

Je cherchai le manuscrit de *La vie et demie*, le retrouvai. Je dormis avec la résolution d'aller le rendre à l'écrivain.

Le lendemain, je me retrouvai devant les studios de la chaîne publique, rue Montaigne, dans le VIIIᵉ arrondissement.

Une hôtesse d'accueil à qui j'expliquai calmement la raison de ma présence m'autorisa à m'asseoir à la réception. De là, je pouvais regarder l'émission grâce à une télévision en face de moi.

Après le générique, Jean-Marie Cavada présenta ses invités puis, un sourire aux lèvres, il ajouta :

— Nous attendons encore l'écrivain congolais Sony Labou Tansi qui devrait arriver d'un moment à l'autre...

L'émission débuta sans lui.

Sony fit irruption dans l'enceinte de la chaîne avec un accoutrement de l'Afrique de l'Ouest. Il me vit et, très surpris, eut juste le temps de me lancer :

— On se voit tout à l'heure, mon brave, les Blancs m'attendent pour parler dans la boîte à mensonges !

Jean-Marie Cavada ironisa sur le retard de l'écrivain. Sony reprit les choses en main, ironisa à son tour sur le retard légendaire des Africains.

Je trouvai que l'écrivain n'était pas en forme. Son intervention ne me marqua guère. Peut-être parce que je préférais le lire que l'entendre parler de ses œuvres.

À la fin de l'émission, il vint aussitôt me rejoindre.

— Alors, tu as publié quelque chose depuis ?

— Rien, dis-je. Tous les éditeurs refusent mes manuscrits.

— Proust aussi a été refusé, ça devrait te rassurer... Bon, je suis un peu pressé, je dois croiser mon directeur au Seuil, mais on peut se voir après mon retour de Limoges...

Je sortis son manuscrit de mon cartable et le lui tendis.

— Ah ! Finalement c'est toi qui l'avais ! Je n'ai pas arrêté de le chercher. J'ai appelé tous les amis, j'ai remué la maison de fond en comble ! Merci vraiment, merci beaucoup...

Il compulsa le cahier, le rangea ensuite dans une chemise orange.

Nous sortîmes. Il me demanda si je voulais que le taxi que son éditeur lui avait commandé me dépose quelque part.

– Grand frère, ne t'embête pas pour ça, je vais prendre le métro, c'est plus pratique...

Le taxi démarra. Et ce fut la dernière image que je gardai de lui car il quitta ce monde le 14 juin 1995, soit deux années et demie après cette dernière rencontre...

ALGER

> *« Le monde arabe n'existe pas. Continuer à parler du monde arabe c'est pérenniser les régionalismes dangereux qui conduisent aux nationalismes. »*
>
> KATEB Yacine

Cher Lounès,

Tu m'as écrit une longue lettre que j'ai reçue il y a maintenant plus de dix jours, et je n'ai pas pu te répondre immédiatement, sans doute parce que les souvenirs que j'ai vécus pendant mon séjour à Alger sont encore trop présents au point que j'ai le sentiment de n'avoir jamais quitté ton pays.

Je te revois au bord de la piscine de l'hôtel du Mas des Planteurs à Tipasa, cette localité située à quelques dizaines de kilomètres à l'ouest d'Alger. C'est là que les autorités, par souci de sécurité pendant cette période d'été où ton pays avait connu de multiples actes de terrorisme, avaient logé la plupart des auteurs invités au Festival panafricain d'Alger.

Je revois aussi ta famille ce jour-là : ton père Arezki, ta mère Saliha, ta sœur Sara et, plus tard, l'aîné Yacine qui revenait d'Europe avec un T-shirt aux couleurs du Sénégal – il était à mes yeux le plus Sénégalais des Algériens...

À vous voir les uns près des autres, les uns avec les autres, c'est l'Algérie qui me montrait son vrai visage, sa vraie composition, et finalement la flamme inextinguible de sa force, loin de ce que les médias nous montraient. Et je m'étais mis à rêver de ma propre famille congolaise, celle qui n'existe plus, celle qui a disparu à mesure que je me suis éloigné de ma terre natale afin d'aller chercher une autre vie dans le monde. Lorsqu'on s'éloigne de cette façon les nouvelles qui vous parviennent endeuillent votre quotidien. Mêmes les oiseaux volent à l'envers dans un ciel retourné et un soleil qui n'éclaire qu'une partie de l'existence. Les croix se multiplient dans le cimetière. On entend des enfants, des hommes, des femmes qui sanglotent. Des gens meurent – ma mère et mon père ne sont plus de ce monde –, les populations plongent dans des guerres civiles, et c'est toute la nation qui se fissure pour ne plus ressembler qu'à une motte de terre piétinée par des éléphants enragés.

Je n'éprouve pas de honte à te confier que je ne sais presque rien de ton pays. Pourtant je suis rassuré parce que les écrivains algériens d'expression française que j'ai lus et que tu commences à découvrir, me dis-tu, m'ont ouvert les portes de ta patrie. C'est peut-être ce chemin-là qu'il faut emprunter pour discerner l'âme d'une nation. Tu t'étonnais déjà que je les évoque dans notre petit échange près de la piscine, et dans ta lettre tu me demandes de t'en parler « un peu plus ».

J'en évoquerai quelques-uns ici et te laisserai le soin d'aller à leur rencontre au rythme de ta soif...

*

J'avais croisé Rachid Boudjedra à l'hôtel du Mas des Planteurs deux jours avant que je ne fasse ta connaissance et celle de ta famille. Aussitôt qu'on nous avait présentés, il m'avait pris dans ses bras comme si nous nous connaissions depuis des décennies. Je constatai très vite que cet homme était une institution dans ton pays, un peu comme le fut Sony Labou Tansi chez moi. Cela se ressentait par cette révérence que lui gratifiaient les jeunes gens. Ceux-ci sollicitaient sans relâche des autographes, de même que les serveurs de l'hôtel qui l'entouraient de petits soins et le surnommaient « le Monument vivant ». Il m'apparaissait comme celui qui relayait la parole de ceux qui ne possédaient pas une plate-forme pour l'exprimer en toute liberté.

Pourtant, cher Lounès, la vie de cet écrivain qui écrit en français et traduit lui-même ses textes en arabe n'a pas été une promenade de santé. Impliqué dans la lutte contre la présence de la France en Algérie, il est blessé et quitte le pays en 1959 pour ne revenir qu'après l'indépendance, en 1962. Mais l'arrivée au pouvoir de Houari Boumediene – le deuxième président de la République algérienne démocratique après Ahmed Ben Bella – l'oblige de nouveau à prendre la poudre d'escampette : il est en effet interdit de séjour, et une condamnation à mort par une fatwa est prononcée à son encontre. Le voici d'abord en France, puis au Maroc pendant plus de six années avant de revenir enfin dans son Algérie natale. Il entame une carrière d'enseignant à l'université d'Alger et occupe différentes fonctions au ministère de l'Information et de la Communication. Son indépendance d'esprit, j'en suis persuadé, il la tirait de ses aînés comme Driss Chraïbi, Mouloud Feraoun, Mouloud Mammeri, ou encore Kateb Yacine – dont Boudjedra considère le roman *Nedjma* comme « le fondement moderne du roman arabe » malgré le tollé qu'une telle déclaration avait soulevé dans le milieu des intellectuels arabophones.

Permets-moi ici une petite parenthèse juste pour souligner comment les écrivains, comme la plupart des créateurs, ne sont toujours pas sur la même longueur d'ondes. Cette polémique qui a souvent opposé le roman arabophone au roman francophone dans la littérature maghrébine révèle, cher Lounès, l'étendue de la délicate question de la langue d'écriture, et cela prend inéluctablement une tournure idéologique ou politique. Un auteur du monde arabe originaire d'un pays colonisé par la France doit-il nécessairement écrire en arabe et abandonner le français que certains taxent encore de « langue du colonisateur » ?

Je ne parle pas l'arabe comme toi, et tu ne parles aucune des dizaines de langues du Congo comme le lingala, le munukutuba, le bembé, le mbochi ou le lari. Pour nous comprendre, nous avons toi et moi utilisé le français. Rachid Boudjedra, lui, a réglé cette question en naviguant entre le français et l'arabe. Pourtant, son aîné Kateb Yacine était très radical, lui qui affirmait que le « monde arabe n'existe pas ». Pour lui, chaque peuple que nous cantonnons dans ce prétendu «monde arabe» possède en réalité sa propre langue – donc il n'y a pas une langue arabe, mais des langues arabes. Continuer à parler du «monde arabe» c'est, dira-t-il, «pérenniser ces régionalismes dangereux qui conduisent aux nationalismes».

En décrétant que *Nedjma* était le «fondement du roman arabe moderne», Boudjedra est allé, aux dires de certains observateurs, à l'encontre de la pensée de Kateb Yacine. Si celui-ci estimait que le monde arabe n'existait pas, dire d'un roman qu'il est «arabe» serait par voie de conséquence une catégorisation suicidaire, une manière de trahir la pensée de Kateb Yacine...

Pour en revenir à Boudjedra et fermer cette parenthèse sur la langue, je dirais que sa génération, celle des années 1970, se distingue de celle de ses aînés par sa violence dans l'écriture. Ne prends surtout pas le mot «violence» au sens de l'insulte ou de l'agression verbale, mais plutôt comme une réponse contre la domination, comme une critique âpre des pratiques politiques qui amoindrissent les libertés individuelles.

Un exemple? Tu n'étais pas encore né à cette époque, mais en 1989 ton pays avait vu la naissance d'un courant politique, le Front islamique du salut (FIS). C'est d'ailleurs à Kouba, la commune dans laquelle tu vis, que ce parti annonça officiellement son existence par la voix de son représentant Abassi Madani!

Figure-toi que le FIS projetait de conquérir le pouvoir afin d'installer un État islamique en Algérie! Boudjedra fut parmi ces intellectuels qui s'insurgèrent contre cette formation politique, et celle-ci ne sera dissoute que trois années plus tard. Il écrivit en 1992 un livre intitulé *FIS de la haine* qui eut beaucoup d'écho en ce temps-là. Pour présenter et justifier son ouvrage il annonça :

> « Il fallait écrire ce livre. Jeter ces mots sur le papier pour dire à nous-mêmes et aux autres l'infamie d'un FIS qui a érigé la fraude électorale et la terreur en système politique. Un FIS haineux et rampant qui, au nom de l'islam, veut le pouvoir et le sang. Notre sang à nous tous, gens de bonne volonté ouverts sur le monde. Sans tabous, sans barrières et sans préjugés, ce livre a été écrit avec pour seule passion : l'homme. »

En cela, Boudjedra et ses collègues étaient dans la même ligne que beaucoup d'écrivains de l'Afrique noire francophone comme le Congolais Sony Labou Tansi (dans *La vie et demie*, *L'État honteux*, entre autres) que j'ai cité plus haut, ou encore le Guinéen Tierno Monénembo (dans *Les crapauds-brousse*) qui croquaient également dans leurs œuvres, à la même période, l'arrivée des monarques et des dictateurs dans leur pays.

En Afrique noire – comme dans le Maghreb – nous ignorions que les indépendances allaient donner naissance à une vague de dictatures et que les peuples allaient subir des régimes dans lesquels les nouveaux maîtres avaient décidé qu'ils régneraient sans partage jusqu'à la fin de leurs jours puisqu'ils étaient des « guides providentiels ». Dans *La vie et demie*, Sony Labou Tansi invente un personnage implacable prénommé Martial et qui ne meurt jamais malgré les atrocités que lui inflige le dictateur. Il survit grâce à une mémoire et à une détermination qui passent de génération en génération.

Nous n'étions de ce fait pas éloignés des réalités de la plupart des sociétés africaines au lendemain des indépendances. Notre littérature puisait son élan du côté de la littérature latino-américaine dont les auteurs les plus lus étaient Gabriel García Márquez, Juan Rulfo ou encore Mario Varga Llosa. Bon nombre de critiques littéraires qualifièrent d'ailleurs Sony Labou Tansi de « Márquez congolais », mais je suis très méfiant de ces « compliments » qui, à la fin, vous réduisent en pâle imitateur du modèle que vous êtes censé rappeler.

Mon cher Lounès, la génération qui a suivi celle de Boudjedra a vu, elle, l'émergence d'écrivains que j'ai tendance à désigner de « maudits » à cause de l'époque pendant laquelle ils écrivaient – ces années 1990 qu'on qualifia chez toi de « décennie du terrorisme » ou encore de « décennie noire » marquée par l'assassinat du romancier, poète et journaliste Tahar Djaout. Celui-ci est mort à l'âge de trente-neuf ans, victime en 1993 d'un attentat ourdi par le FIS. Cet acte tragique eut un tel retentissement que sur le plan international des écrivains se mobilisèrent, signèrent des pétitions afin de s'indigner contre ces innombrables assassinats d'écrivains en Algérie. Un « Parlement international des écrivains » fut créé dans le but d'assurer aux créateurs persécutés des lieux de refuge.

Rachid Mimouni – le collègue et grand ami de Tahar Djaout – dont la plupart des livres avaient été publiés en France à cause de la censure en Algérie, sortira en 1993 *La malédiction*, un roman très proche des turbulences politiques d'alors et qui dénonçait le règne des intégristes ayant assiégé les places publiques d'Alger dans le dessein de prendre le pouvoir et d'imposer leur politique fanatique sur l'ensemble du territoire. La dédicace de ce roman en disait long sur l'amitié des deux auteurs et sur leur lutte commune :

> « À la mémoire de mon ami, l'écrivain Tahar Djaout, assassiné par un marchand de bonbons sur l'ordre d'un ancien tôlier. »

Mimouni mourra à Paris d'une hépatite aiguë, privant la littérature algérienne d'une des voix les plus libres et les plus généreuses qui inspirent plus que jamais la génération actuelle portée par des écrivains de talent tels Boualem Sansal, Yasmina Khadra, Kébir-Mustapha Ammi, Anouar Benmalek et Yahia Belaskri, ton oncle qui a écrit *Le bus dans la ville*. Beaucoup d'entre eux sont nés ou vivent en France et écrivent en français, et tu auras deviné que dans leurs œuvres se jouent la question de leur rapport à la langue française, de l'appartenance ou non à une littérature du « monde arabe », mais aussi celle de leur place dans la littérature et la société françaises sans pour autant qu'ils renoncent à leurs origines.

*

Je pressens que dans ton prochain courrier tu me demanderas à juste titre : Et les femmes dans tout ça ?

Même si la plus connue est assurément Assia Djebar – la première Algérienne élue à l'Académie française –, ou Leïla Sebbar qui, elle, est née en France d'une mère française et d'un père algérien, d'autres voix féminines importantes venues de ton pays irriguent aujourd'hui la littérature d'expression française par des textes et des univers qui n'ont rien à envier à leurs collègues masculins. L'émancipation de la femme musulmane, sa liberté individuelle, sa place dans la société, la relecture par des personnages féminins des pages sombres de l'histoire de l'Algérie – comme chez Fatéma Bakhaï dans *Oran après la mer* paru en 2011 – sont autant de thèmes qui sont abordés. On retrouve, en 1993, ces préoccupations chez Malika Mokeddem dans *L'interdite* où l'auteure livre un témoignage inspiré de sa condition d'exilée en France qui revient des années plus tard au pays natal et qui nous décrit une société en proie aux préjugés, aux tabous et à l'obscurantisme.

Peut-être seras-tu attentif comme moi à la plume de Maïssa Bey dans son roman *Bleu blanc vert* publié en 2006, parce que tu retrouveras les aventures de deux adolescents qui ont presque ton âge au moment de l'indépendance de l'Algérie et qui, dans leur innocence, font face à la montée de l'islamisme et au règne de la censure ? C'est un livre que je relis avec bonheur parce que je sais que l'adolescence est le moment crucial des questionnements, et c'est l'âge où on s'aperçoit que le monde n'est pas une ligne droite. Certaines des questions que tu te poses trouvent leurs réponses dans l'imaginaire des écrivains de ton pays et, au-delà, dans celui des auteurs qui te montreront des ponts pour te déplacer vers d'autres territoires...

Dans le dernier paragraphe de ton courrier tu me demandes pourquoi j'écris. J'ai pris cette question comme un appel au secours. Un écrivain ne doit pas chercher à comprendre pourquoi il écrit, comme s'il cherchait des excuses pour se faire pardonner les audaces de sa vision du monde. T'es-tu par exemple demandé pourquoi tu marches ? Et lorsque tu marches, contrôles-tu tes pas ? L'écriture est une marche, sauf qu'on a une multitude de jambes, et on ne sait jamais à quelle destination on arrivera...

*

Il se fait tard ici à Santa Monica. Je m'arrange pour ne pas faire trop de bruit lorsque je vais d'une pièce à l'autre ou quand j'écris – j'ai en effet la mauvaise manie de frapper très fort les touches de mon ordinateur. Or mon voisin est malade depuis quelques mois, et j'ai bien peur pour lui car il ne quitte plus son lit. Chaque semaine des médecins se relayent à son domicile. Je lui rends visite tous les jours, mais hier il ne m'a plus reconnu, et cela m'inquiète de plus en plus. Sa femme m'a confié, dans une impuissance qui m'a fendu le cœur, que la fin de son mari est proche. Je garde cependant l'espoir que malgré l'âge très avancé de ce monsieur affable et généreux – il a quatre-vingt-deux ans – il surmontera cette épreuve. Je voudrais donc solliciter aussi tes prières car, tu le sais, on n'est jamais trop nombreux pour s'adresser à Dieu et, le plus souvent, Celui-ci entend en priorité les prières des tout-petits...

Je vais maintenant essayer de dormir un peu avec la conviction que lorsque je serai un vieil homme retiré dans la campagne congolaise, mon bonheur sera à son comble si, pour continuer à rêver de ton pays, je me mettais à lire les livres que tu auras écrits. Et si par malheur je suis malade, très malade, comme mon voisin américain, je sais que je pourrai compter sur toi pour me soigner, parce que tu seras un médecin. Un très grand médecin...

Prends soin de toi, mon cher petit, et salue toute la famille de ma part.

A.

PS : Le carnet Moleskine que je te fais parvenir avec cette missive attend avec impatience tes premiers pas d'écrivain...

LE CAIRE

> *« Je trouve que notre époque est ingrate à l'égard*
> *de ce langage qu'est la poésie et préfère le roman. »*

Jean-Baptiste MATINGOU

J'ai reçu il n'y a pas longtemps un courrier d'un « écrivain en herbe » dont voici le contenu :

Cher aîné,

Nous ne nous connaissons pas, mais je suis né au Congo comme vous et je réside au Caire où je poursuis des études de médecine même si je me dis qu'il me faudrait certainement quitter l'Égypte, aller vivre en Europe pour que mon rêve de devenir écrivain se réalise enfin.

J'écris de la poésie, et comme vous pouvez le deviner, il est quasiment impossible d'émerger même dans notre pays le Congo où il n'y a pas de maisons d'édition, et quand il y en a une, elle appartient forcément à un ministre ou à un parent du président qui ne publie que ses propres textes et s'arrange pour que ceux-ci soient mis au programme scolaire.

129

Le Caire

J'ai donc publié ici au Caire deux recueils à compte d'auteur chez un tout petit éditeur francophone : Le conciliabule des esprits et La marche du crabe. Certes ils n'ont pas eu un écho en dehors de mon cercle familial, mais j'ai pu au moins extérioriser ce qui était en moi, ce besoin d'apporter à la parole du monde mes modestes vers et de me dire, comme en son temps Alfred de Musset, que si mon verre est petit, du moins je bois dans mon verre.

Je trouve que notre époque est ingrate à l'égard de ce langage qu'est la poésie et préfère le roman. Aujourd'hui il est difficile de publier des poèmes, et dans mon entourage on me dit que je ferais mieux de me lancer dans le roman comme tout le monde.

Je sais que vous, vous avez commencé par la poésie avant d'embrasser la fiction. J'aimerais savoir ce qui explique cette désaffection pour la poésie et quelle est votre conception de ce genre.

Je vous prie, cher aîné, de bien vouloir recevoir mes salutations patriotiques et de ne pas douter de mon respect pour ce que vous faites.

Jean-Baptiste Matingou.

*

Cher Jean-Baptiste,
Je me permets de te tutoyer non seulement pour être en phase avec le droit d'aînesse à la congolaise, mais surtout parce que nous pratiquons le même art, nous aimons la poésie et formons donc une famille qui va au-delà de notre appartenance à la même nation. Peut-être serions-nous

plus proches en tant que poètes que tout simplement comme compatriotes. Je partage avec toi l'idée que la poésie est l'écho du langage du monde. Si je suis solidaire de tes angoisses, je ne voudrais cependant pas baisser les bras sous prétexte que la poésie se serait évaporée pour défaut d'audience. Faut-il s'y résoudre, entonner le refrain de cette « chronique d'une mort annoncée » ? Les pessimistes rajoutent qu'il n'y aurait plus rien à faire, la machine infernale suivra son cours. Il ne nous resterait plus qu'à composer, en alexandrins, avec des rimes riches, l'oraison funèbre ; à organiser avec dignité les funérailles ; à dénicher quelque part un vaste cimetière marin et à prévoir une épitaphe avec les mots suivants :

« Ci-gît Dame Poésie, Muse adulée par Ronsard, Hugo, U'Tamsi et les autres, mais délaissée par des héritiers ingrats et prodigues... »

La poésie serait ainsi agonisante, alitée mais encore entourée par quelques admirateurs comme toi, opiniâtres, accrochés jusqu'à la dernière pulsation à cette douairière pour laquelle les différentes interventions chirurgicales auraient échoué. De même que le poète marocain Abdellatif Laâbi parle du « Soleil qui se meurt », la poésie serait en train de mourir, et nous serions, par voie de conséquence, coupables de non-assistance à poésie en danger...

Cher Jean-Baptiste, je concède qu'écrire ou publier de la poésie semble de nos jours un acte de résistance, une attitude de dernier des Mohicans – et la publication à compte d'auteur de tes deux recueils est un exemple frappant. Tout indique que l'espace poétique s'est dilapidé au fil du temps. Et le poète, retranché dans son îlot, regarde ce monde qui lui tourne le dos. Cependant, qui de nous, lecteurs et poètes, nous interrogeons sur les causes de cette prétendue fin de règne?

On se console, surtout du côté des poètes, à l'idée qu'une période de vaches grasses reviendrait bientôt et que la poésie reprendrait ses lettres de noblesse. Alors, ce jour-là, le roman n'aurait qu'à bien se tenir. Que n'entendons-nous pas comme arguments dans ce sens, cher confrère? On nous précise que le roman n'occupait pas l'espace qu'il détient actuellement. Il avait une fonction alimentaire et se publiait dans des quotidiens sous forme de feuilleton avant de terminer en édition traditionnelle. La poésie était la discipline de prédilection, le genre de séduction, de l'enchantement, du savoir-vivre, de l'élégance et de l'émotion. On se réconforte comme on peut...

On pourrait s'interroger sur le rôle de « la poésie textualiste » dans le désamour actuel du public. La critique Christine Andreucci parle même de « la poésie contre la poésie », alignant, sous cette bannière, les noms des poètes Francis Ponge, Denis Roche et Jean-Marie Gleize. Francis Ponge, par exemple, n'hésitait pas à publier ses dossiers de travail, « ses brouillons (innombrables) qui ont précédé l'écriture des poèmes, ses notes, ses recherches dans le dictionnaire. Bref ce qu'il montre au public c'est un chantier, un travail en cours et qui déstabilise complètement la notion de poème comme œuvre close et courte, achevée[1] ». Je sais qu'une telle démarche est insolite, le plus souvent nous avons plutôt un rapport très « pudique » avec ce que nous sommes en train d'écrire.

La poésie traditionnelle, sans la décrier, avait ses limites, avec une prolifération de règles qui cantonnaient le poète à la fonction de comptable de syllabes, de dénicheur du bel alexandrin à laisser à la postérité. On trouvait des strophes parfaites, des vers justes et irréprochables dans la métrique. Encore fallait-il que ceux-ci fussent inspirés. C'est de là que provient, me paraît-il, la principale cause du divorce entre la poésie et son lectorat. Il y a une différence criarde entre un *poème pensé* et un *poème inspiré*. Le premier provient de l'homme et de l'homme seul. Le deuxième provient certes de l'homme aussi, mais celui-ci a l'impression de servir d'intermédiaire, de scribe, de passeur. La *poésie pensée* est celle que la poétesse et critique littéraire française Annie Lebrun qualifie, à juste titre, de « poésie langagière ». Selon elle, cette poésie « ne pesant que son poids de papier, dissuade chaque jour un peu plus de miser encore sur les mots »[2]. Il n'est pas surprenant d'entendre dire que la poésie n'est plus ce qu'elle était. Qu'il n'y a plus de rimes. Que les textes sont illisibles, etc.

Lorsque je parcours certaines parutions contemporaines – j'espère avoir en tout cas l'occasion de lire les tiennes –,

---

1. Christine Andreucci, « La poésie française contemporaine : enjeux et pratiques », *Estudos em homenagem a António Ferreira de Brito*, Porto, 2004, p. 29-30.
2. Annie Lebrun, *Pour Aimé Césaire*, ed. Jean-Michel Place, 1997.

je constate que chaque poète tire à sa manière la sonnette d'alarme. Entre deux mots, on décèle vite la désespérance, le pessimisme. Comme ce poète belge, Gaspard Hons, pour qui la poésie est une «herbe accomplie en ce peu d'eau». Même s'il y a dans sa définition un soupçon de résistance, on remarque très vite une attitude de résignation. En clair, malgré la sécheresse, la poésie est là, ne se contentant que de l'espace étriqué qui lui reste. Où est alors la part de la conquête?

Le poète cubain Eliseo Diego, de son côté, modère sa vision, bien qu'on y entrevoie un certain repliement:

> «Un poème ce n'est que le bonheur, qu'une conversation dans la pénombre, que tout ce qui s'en est allé et n'est plus que le silence.»

Cette approche me fait penser à celle du poète polonais Julian Tuwim, mais celui-ci propose plutôt une ouverture lorsqu'il affirme:

> «Quand je sais que le poème sera, j'enferme entre parenthèses l'univers, et je pose le signe de la fonction devant.»

Tuwim corrobore ce qui est souligné plus haut, à propos du *poème inspiré*. La poésie est antérieure à sa fonction. La question de son utilité, de son rôle est postérieure. L'erreur fondamentale de certains poètes est de poser la question de la fonction avant même celle de la création, du jaillissement incontrôlé de la poésie. Ces poètes – et ils sont nombreux de nos jours –, confondent le slogan au poème.

Tuwim, disais-je plus haut, reconnaît que le poème doit venir, et il ignore quand il viendra. Que penser des poètes qui écrivent sur commande sur tel ou tel sujet (la faim, le Rwanda, les guerres civiles...)? Est-ce vraiment de la création? Le créateur doit douter de tout. De ses capacités à se surpasser. De l'inspiration. Viendra-t-elle ou ne viendra-t-elle pas ou plus?

Loin de moi l'idée de créer un amalgame au sujet des textes d'urgence. Certains ont traversé les époques. Je pense aux *Châtiments* de Victor Hugo ou au *Cahier d'un retour au pays natal* d'Aimé Césaire. Mais tout le monde n'est pas Victor Hugo. Tout le monde n'est pas Aimé Césaire.

La poésie d'urgence? Plusieurs poètes africains en sont partisans au point qu'on a toujours cru que nous n'écrivons que des poèmes engagés, politiques ou liés aux malheurs du continent noir. Souvent, cette écriture d'urgence est liée au parcours personnel du poète. Et combien de ces autres poètes «militants» ont un parcours personnel? Ce n'est qu'à ce prix que la poésie échappe à l'esprit de commande, à la poésie de circonstance, sans âme et sans ramifications sincères. Ainsi, on a entendu des écrivains demander à leurs pairs de «s'occuper» du sida, de lutter contre cette maladie dans leurs œuvres. Après cela, il faudra leur demander de lutter contre le cancer, la maladie du sommeil ou la sclérose en plaques! L'écrivain n'est plus que le sapeur-pompier des sociétés africaines...

Non, la poésie n'est pas morte. Elle est assise quelque part, guettant avec regrets les passants indifférents. Il faut aller la rechercher partout où elle s'est «retirée». Elle n'est plus l'apanage des plaquettes ou des recueils. Beaucoup de récits, de nouvelles, de romans perpétuent la tradition poétique. Je pense aux romans de certains écrivains africains comme le Camerounais Gaston-Paul Effa. Des pages d'une poésie indubitable. La première phrase de son roman *Mâ* (1998) ferait pâlir de jalousie tous les poètes :

> « L'ombre est tombée, la nuit déjà, dans les lacis de ruelles, sur les sept collines de Yaoundé, au bout du monde, au bout du ciel et, sur le tranchant de la lune, moi, Sabeth, je pleure. »

Jean-Luc Raharimanana, écrivain malgache, est présenté « à tort » comme auteur de nouvelles. Ses écrits sont des pages de poésie dont la fulgurance lyrique déroute ceux qui attendent de lui une histoire simplement narrée :

> « Et la nuit s'installe, trou noir dans le jour. Et le jour s'engouffre dans le trou de la nuit, spirale, s'y meurt. Voici les ténèbres... »

Même observation pour les textes en prose de l'écrivain djiboutien Abdourahman Waberi qui avoue d'ailleurs :

> « En fait, je suis un trafiquant. Je fais de la poésie mais, comme ça ne se vend pas, je la maquille en roman... »

Le constat est que la plupart des romanciers cités plus haut nourrissent des accointances avec la poésie. Pour tous ces poètes connus désormais comme prosateurs, la poésie devient une île secrète d'où sourdent avec exubérance les thématiques qu'ils prolongent par la suite dans leurs romans, récits ou nouvelles. Je serais tenté de te dire : si tu veux rattraper la poésie, va la traquer dans certains romans...

Peut-être que la poésie, loin d'être agonisante, n'a changé que de gîte ? Elle a décampé de son territoire traditionnel pour suivre l'évolution de ses hérauts. Il n'y a pas de raison de larmoyer, de regretter le temps des envolées lyriques, l'époque où l'on faisait pleurnicher la bien-aimée à coups de rimes embrassées. La poésie a pris un autre visage. Elle est récit, accompagne la prose, lui prend la main, la séduit, la rend grave, profonde, sinueuse mais virulente afin de traverser le marasme dans lequel s'est empêtré le roman contemporain. Là où certains vantent l'oralité d'un texte, sa dimension philosophique, moi j'y vois de la vraie poésie, celle qui redonne à l'écriture le tumulte, la nervosité, ingrédients nécessaires à une œuvre réussie.

Et pourquoi ne lit-on plus la poésie ? Au risque de te décevoir, j'ai pourtant le sentiment que la poésie de l'espace francophone n'a jamais été aussi prolifique mais demeure tout simplement mal connue : le Marocain Abdellatif Laâbi que j'ai cité, les Congolais Jean-Baptiste Tati-Loutard et Tchicaya U Tam'si, le Mauricien Édouard Maunick, le Malgache Jacques Rabemananjara, les Haïtiens René Depestre et Jean Méttelus ou le Tchadien Nimrod, sont autant de voix à découvrir ou à redécouvrir et qui te redonneront le courage d'espérer et de ne plus te sentir seul.

Le Caire

Je te dirais, pour terminer, et avec l'espoir de te lire bientôt, que lorsque tes amis te conseilleront une fois de plus de te lancer plutôt vers le roman, rappelle-leur que les grandes œuvres romanesques ne se sont jamais écartées du souffle poétique et que si elles sont grandes et éternelles, c'est avant tout grâce à leur charge poétique...
Très fraternellement,
A.

MPILI (CONGO)

Tchicaya U Tam'si, considéré comme un des plus grands poètes africains par Léopold Sédar Senghor, est né à Mpili, dans la région du Kouilou, au sud du Congo. Cette précision géographique est d'importance, dans la mesure où la même région a donné au Congo un autre grand poète, Jean-Baptiste Tati-Loutard et un prosateur injustement méconnu, Tchichelle Tchivela.

Mpili est donc une véritable terre de créateurs, et les Congolais rapporteront que si on y trouve autant de grands poètes c'est grâce à l'océan Atlantique et surtout à cause de l'esclavage qui transita par là au point qu'on entend en permanence les sanglots et les pleurs de nos ancêtres. Dans la même légende, les Congolais ajouteront que si l'eau de la mer est salée, c'est à cause des larmes de ces pauvres captifs dont la descendance se retrouve aujourd'hui du côté de l'Amérique...

Mpili (Congo)

Les mêmes Congolais vous diront que le petit U Tam'si sillonnait la Côte sauvage, à Pointe-Noire, qu'il passait des heures et des heures à regarder l'horizon, à suivre l'envol des albatros et à rêver du voyage de son père, Jean-Félix Tchicaya, un des premiers députés noirs de France, qui souhaitait le voir porter la robe de magistrat. Arrivé à Paris à l'âge de quinze ans, persuadé d'être le Rimbaud congolais au point d'intituler son premier recueil *Mauvais sang*, le jeune U Tam'si préférera plutôt une vie de bohème et exercera des petits métiers. Il deviendra le poète qui dira «non» au mouvement de la négritude malgré l'estime que lui vouait Senghor, qui dira plus tard, préfaçant le recueil *Épitomé* (1962) du poète congolais :

> «En 1955, le *Mauvais sang* de Tchicaya m'avait frappé, m'était entré dans la chair jusqu'au cœur. Il avait le caractère insolite du message. Et plus encore *Feu de brousse* avec ses retournements soudains, ses cris de passion. J'avais découvert un poète bantou...»

Je n'ai jamais rencontré Tchicaya U Tam'si qui résidait en France où il est mort à Bazancourt, dans l'Oise, en 1988, une année avant mon arrivée en Europe. Il avait alors cinquante-six ans et incarnait aux yeux de la jeunesse congolaise l'image du «poète en exil».

J'ai vu ses photos en noir et blanc. Ce visage à la fois serein et rebelle. Cette chevelure enracinée jusqu'à la naissance du front. Ces lèvres bien dessinées et qui susurrent les ultimes paroles d'un rêve «échoué dans la gueule de l'engoulevent» : le rêve de la réunification des deux Congo.

J'ai récité ses vers au lycée, des poèmes dans lesquels nous retrouvions ce ton de révolté, souvent sous des élans de dépit comme dans *Mauvais sang* où il s'insurge contre ce destin qui lui avait affecté une jambe claudicante :

> Ils ne conviendront pas qu'enfant j'eus les boyaux
> durs comme fer et la jambe raide et clopant
> j'allais terrible et noir et fièvre dans le vent
> L'esprit, un roc, m'y faisait entrevoir une eau

C'est de ce même recueil que je tire le titre d'un de mes romans : *Demain j'aurai vingt ans.*

> Ce qu'il y a de plus doux
> Pour un chaud cœur d'enfant :
> Draps sales et lilas blancs
> Demain j'aurai vingt ans...

Que nous serions-nous dit si nous avions été l'un en face de l'autre ? Il m'arrive d'y songer, de m'imaginer en train de l'écouter me lire sa poésie – ceux qui l'ont connu rapportent qu'il affectionnait cet exercice. J'ai gardé en moi l'écho d'une voix qui n'est sans doute pas la sienne. Ce sont des voix que j'ai cru entendre en regardant de plus près les photos de l'auteur. Ce sont des voix que j'ai associées à la « colère » du poète.

Ainsi je ne peux mettre de sons précis à ses vers. Je ne peux penser un seul instant que le grand poète congolais me murmure ses vers. Tant mieux. C'est ainsi que je conçois une rencontre avec un auteur. Je me suis inventé la voix de « la petite feuille qui chante pour son pays » – c'est ce que signifie son nom, Tchicaya U Tam'si. Une petite feuille qui s'est détachée de l'arbre et qui espère atteindre l'horizon. Peu importe si la voix que j'entends sonne faux, qu'elle n'ait pas les accents de Mpili lorsque je crois entendre :

> Un jour il faudra se prendre
> Marcher haut des vents
> Comme les feuilles des arbres
> Pour un fumier pour un feu...

Tchicaya U Tam'si est en moi parce que je sais de quel arbre je descends, parce que je me nourris de la cendre et du pain, parce que j'aime les sonorités de l'arc musical, parce que j'ai goûté aux fruits si doux de l'arbre à pain, parce que j'ai senti une horde de cancrelats et de phalènes effleurer ma peau, parce que j'ai vu une colonie de méduses échouer sur la grève de la Côte sauvage de Pointe-Noire à l'époque où nous guettions les pêcheurs béninois qui revenaient de leur besogne nocturne, et parce que j'ai toujours entendu crépiter le feu de brousse qui m'incite à écrire, à écrire encore et encore, à dessiner un Congo qui n'est pas toujours à cheval sur l'équateur, un Congo dont le nord est au sud et dont le sud est au nord. Qui trouvera la direction de l'est et de l'ouest...?

Tchicaya U Tam'si? Poète difficile, arguait-on. Poète cérébral, ajoutait-on. Il fallait donc une clé afin d'entrer dans son univers. Un univers bien verrouillé. Et nous cherchions sans relâche ce sésame. Parce que nous espérions que ces mots jetés, beuglés, catapultés dans une structure à la fois déconstruite et juste ne pouvaient que nous pénétrer « dans la chair, jusqu'au cœur », pour reprendre la célèbre formule de Léopold Sédar Senghor.

Tchicaya aura ainsi libéré la poésie congolaise de l'emprise d'une négritude devenue le fonds de commerce de plusieurs épigones africains de l'époque. C'est grâce à lui – et bien plus tard à Tati-Loutard – que nous avions échappé, nous autres Congolais, à une littérature de troupeau, à une scansion insipide, aveugle et militante. Nous n'avions pas crié notre « tigritude », nous avions sans tergiverser bondi sur la proie, et nous l'avions dévorée !

Le grand poète de Mpili nous regarde depuis son purgatoire. Comment soutenir ce regard qui perce les ténèbres, cette voix qui s'ajoute à la symphonie universelle ?

Notre tort ? Oui. Et voici l'acte d'accusation dressé par l'auteur lui-même, avec des accents d'épitaphe :

> J'habitais un pays de musique
> inaccessible à toute oreille...

POINTE-À-PITRE

> *«Je peux être très français ou profondément cubain. Mon ami Andreï Makine me dit souvent qu'on appartient à la langue dans laquelle on écrit. Je suis français quand j'écris en français.»*
>
> Eduardo Manet

Nous sommes assis côte à côte, l'écrivain cubain d'expression française Eduardo Manet et moi, dans ce vol d'Air France qui nous ramène de la Guadeloupe à Paris.

Nous avons décollé de Pointe-à-Pitre il y a maintenant trois heures et demie, et Manet somnole depuis un moment, la tête contre le hublot, un volumineux livre de poche calé entre les jambes...

*

Bien avant qu'il ne s'endorme, je l'avais écouté me parler avec une fougue inimitable de *Paradiso*, le livre majeur de son compatriote José Lezama Lima qu'il semble protéger même dans son sommeil :

149

– *Paradiso*, c'est cette source inépuisable dans laquelle la plupart de ces grands écrivains de langue espagnole que nous applaudissons sont allés boire, et la liste est longue, d'Octavio Paz à Mario Vargas Llosa en passant par Reinaldo Arenas ou encore Guillermo Cabrera Infante! Le souffle de *Paradiso* est de l'ordre du divin. Ce livre n'est pas à classer dans un genre littéraire précis, et c'est pour cela que certains argueront qu'ils n'y comprennent rien, que c'est touffu, que c'est du cafouillis, que c'est trop hermétique et que sais-je encore! Où est le problème, hein? Ne dit-on pas la même chose de Proust, de Mallarmé ou de Faulkner? La force de *Paradiso*, c'est qu'on entre peu à peu, grâce au génie de Lezama Lima, dans un brassage de mythes du monde. Si j'étais un critique littéraire de talent je dirais que nous sommes ici dans une mise en abîme de l'imaginaire, avec une aventure prodigieuse du langage. N'est-ce pas tout ça qui constitue le socle de notre univers?

Il m'avait tout de suite attesté avoir dévoré *Paradiso* à plusieurs reprises dans sa version originale espagnole et qu'il le relisait à présent en français :

– C'est juste pour voir jusqu'à quel point les langues peuvent s'embrasser ou carrément divorcer, s'était-il justifié.

Plus tard, alors qu'il venait de disposer le roman entre ses jambes et baisser le dossier de son fauteuil, lorsque je l'interrogeai sur ses impressions au sujet de notre brève résidence d'écrivains en Guadeloupe, il resta de marbre.

Je comprenais son état d'esprit et la situation embarrassante dans laquelle il s'était retrouvé : trois autres Cubains – Pedro Juan Gutiérrez, Mayra Montero et Zoé

Valdés – comptaient parmi les résidents. J'avais tout de suite noté entre eux une certaine tension, une opposition latente et permanente. La question était en effet de savoir qui était castriste ou ne l'était pas et, au-delà, qui vivait à l'extérieur du pays, et pour quels mobiles ? Et chacun, dans son œuvre, donnait sa réponse...

Pedro Juan Gutiérrez était le seul des quatre à vivre à Cuba où il avait fait des études de journalisme à l'université de La Havane. Considéré par la critique hispanophone comme le « Charles Bukowski » de la littérature cubaine, son œuvre est un regard saisissant du quotidien dans lequel le pays est peint sans détours, avec la misère d'un peuple livré à lui-même. Gutiérrez traque avec obstination les images paradisiaques prisées par les touristes. Il « écoute » la voix du peuple et joue à la perfection sa mission de scribe et de porte-parole de celui-ci. Né en 1959, il fait partie de ceux qui incarnent désormais l'avenir de la littérature cubaine et lui donnent un autre ton, moins obsédé par un règlement de comptes avec les démons du passé, plus ancré dans le présent. Dans les années 2000 son arrivée dans le paysage littéraire, avec *Trilogie sale de La Havane*, fut largement saluée sur le plan international en dépit des polémiques que suscita l'univers qu'exposait l'auteur au grand jour : malpropreté de la ville, banditisme, sexe, prostitution illégale, marijuana et mort. La crudité de sa langue provenait certainement de sa rude expérience des rues de la capitale : il avait été dans sa jeunesse marchand de glaces et coupeur de cannes à sucre.
Dans *Trilogie sale de La Havane*, avec un sens absolu de la provocation, l'auteur étale dans les moindres détails

sa propre vie sexuelle et nous propose un véritable journal du «mal-être» d'un écrivain dans une île où, malgré les apparences, le chaos n'est jamais loin. En somme, *Trilogie sale de La Havane* c'est Gutiérrez lui-même dans les années 1990, pris dans le tourbillon d'une ville de la pègre, d'une ville «sale» où la vie ne tient parfois qu'à un fil. L'auteur donnera une suite à ces aventures dans *Animal tropical*, consolidant selon le cas son statut de «pestiféré des Lettres cubaines» ou de romancier au génie réaliste et libertin.

Paradoxalement, lui l'écrivain «le plus proche du peuple» se montrait le moins visible des quatre dans le hall de l'hôtel qui nous abritait pendant près d'une semaine. Il passait en coup de vent, habillé tout de blanc, avec ce crâne rasé qui lui donnait des faux airs de Pablo Picasso en vacances. Je m'expliquais ses distances par le fait qu'il était certainement conscient de ce que certains de ses collègues – surtout ceux de l'étranger – pensaient de ses livres : trop pornographiques et vulgaires pour les uns, trop misanthropiques, voire égocentriques pour les autres. Gutiérrez aurait-il eu la même attitude fuyante s'il s'était retrouvé en Guadeloupe avec des auteurs originaires d'autres contrées que la sienne ? Si oui, j'en serais arrivé à la conclusion qu'il était l'écrivain solitaire par excellence.

En tout cas j'attendais avec impatience ce jour où les quatre Cubains s'assoiraient ensemble pour discuter autour d'un verre.

Ce jour ne vint pas, malheureusement...

La romancière Mayra Montero, quant à elle, a quitté Cuba dans les années 1960 et vit à Porto Rico depuis sa tendre enfance, au point qu'elle se considère comme une Portoricaine à part entière. À la différence de ses trois concitoyens, elle était celle qui avait le moins résidé au pays. Son œuvre n'est pas tributaire de cette « obligation » de dénoncer qui caractérise bon nombre de textes cubains. Chez Montero nous allons à la rencontre d'autres espaces des Caraïbes. Dans *Une nuit avec toi* (1993) c'est du côté d'Antigua et de Marie-Galante qu'elle nous convie, dans une croisière amoureuse qu'entreprend un couple qui vient de marier sa fille. Dans *Toi, l'obscurité* (1997), elle nous plonge dans les mystères du vaudou haïtien tandis que dans *Le messager* (2001), elle s'empare d'un fait réel survenu en 1920 à Cuba : l'attentat perpétré contre le ténor napolitain Enrico Caruso venu jouer au Théâtre national de La Havane. C'est donc un roman du retour au pays des origines, ce même pays qui avait permis à son père, le célèbre comique Manuel Montero, de « fabriquer » un personnage de migrant cubain qui faisait rire les téléspectateurs portoricains.

C'était ce pays également que je retrouvais dans le livre en lice pour le prix, *Havane 1957*. Ici elle décrit ces nuits à la fois festives et meurtrières de la mafia cubaine dont l'ambition était de recréer l'atmosphère de Las Vegas à La Havane. En effet, le 25 octobre 1957 lorsque le mafieux italo-américain Umberto Anastasia est assassiné à New York, on est loin de se douter que le drame aurait des ramifications jusque dans l'île où, en réalité, des hommes d'affaires cubains, proches du président Batista, étaient dans le coup. Montero procède ainsi à une enquête par le biais de son personnage, Joaquim Porrata, qu'elle charge de dévoiler cette part sombre de l'entourage du président cubain.

On constate chez Montero, lorsqu'elle «revient» au pays, une inclination vers «l'enquête historique», loin de la chronique quotidienne d'un Gutiérrez. La patrie qu'elle croque lui est étrangère et chaque fait, même le plus ordinaire pour les Cubains, devient un élément qui déclenche chez elle le dialogue avec le passé. Elle vit au fond dans un Cuba «rêvé», celui qui lui avait été arraché depuis son enfance par la fuite et l'exil et qu'elle s'emploie à reconstituer...

Zoé Valdés, pour sa part, est née en 1959 au moment de la révolution cubaine et a grandi dans l'île. Elle était alors connue comme la sous-directrice de la revue *Cine Cubano* et travaillait parallèlement comme scénariste à l'Institut cubain d'art et d'industrie cinématographique. En 1995, elle jette l'éponge, quitte Cuba avec son mari et leur fille pour s'installer en France où, après Eduardo Manet, elle devient l'un des auteurs cubains les plus connus du paysage littéraire français.

Celle qui possède désormais les passeports français et espagnol me donne parfois le sentiment de porter en elle une révolte insatiable qui la rend injustement boudeuse et antipathique. Elle sera persona non grata à Cuba en 1995 à la parution de son roman *Le néant quotidien*. Il était évident que pointer du doigt une société cubaine en ruines, où la débrouillardise est l'activité principale, où la condition de la femme est des plus déplorables, ne pouvait plaire à Fidel Castro. Valdés s'érigeait en procureure de ce système dont elle avait observé les travers pendant qu'elle dirigeait la revue de cinéma. Et pour que cela soit clair, elle s'attaquera de front à Castro dans *La douleur du dollar* (1996), le premier roman qu'elle fit paraître après son installation en France. Dans cette fiction, Fidel Castro est carrément surnommé « XXL » ou « Extra Large » par l'auteure à cause de son pouvoir sans partage et pérenne. Valdés dénonce un pays miné par l'espionnage, la délation et la mafia – ce qui pourrait être un lien avec le roman de Montero, *Havane 1957*, même si le livre de Valdés concernait plutôt la période castriste, et le roman de Montero, celle de Batista...

Valdés me paraissait très méfiante d'Eduardo Manet. J'en cherchais la raison et en étais venu à la conclusion que c'était peut-être parce que les deux résidaient dans un même lieu d'exil, Paris, où, qu'ils le veuillent ou non, ils se livraient une concurrence sans merci pour le statut de « l'écrivain cubain de France ».

Manet, arrivé bien avant Valdés en France, tenait à son « antériorité » et à son influence. Valdés avançait à toute vitesse et s'était imposée comme la nouvelle voix depuis la parution de son *Néant quotidien*. Ou, me disais-je, ses distances vis-à-vis de son « aîné » signifiaient qu'elle lui reprochait encore son allégeance d'autrefois à l'égard de ses camarades à l'université de Cuba dans les années 1940 : Raúl et Fidel Castro...

Pendant les derniers jours qui nous restaient dans l'île j'appris à mieux connaître Manet. Au petit déjeuner, il me racontait, revenant sur des passages de son autobiographie *Mes années Cuba* (2004), que son père, avocat, enleva sur un cheval blanc une adolescente qui deviendra sa mère. De même s'enorgueillissait-il de la présence protectrice durant son enfance d'une nounou haïtienne qui le serrait bien fort

dans ses bras, lui transmettant sans doute les traditions lointaines de cette République noire. Et lorsqu'il parle, même
ce qu'il a déjà commis dans un roman ou dans une pièce
de théâtre est soudain ornementé, sans doute pour séparer
l'écrit – qui par essence fige les choses – de l'oralité qui,
elle, donne la possibilité au conteur de prendre d'autres
bifurcations.

Le voilà qui me décrivait son état d'esprit en 1968 alors
qu'il était en voyage à Paris et qu'il décida de prendre ses
distances avec le régime de Fidel Castro. Beaucoup virent
dans son attitude un retournement de veste inexcusable
pour un homme qui n'était pas menacé et dont le père
avait été ministre. Manet ne cachait pas sa situation sociale
« confortable » : écrivain reconnu déjà sur place, il dirigeait le
Théâtre national de Cuba, menait la belle vie, avec une voiture de fonction et une « multitude de maîtresses », rigole-t-il
souvent. Celui-là même qui reconnaissait que la révolution
cubaine avait réussi « des choses formidables » devait désormais s'en éloigner, en critiquer les dérives.

La pomme de cette soudaine discorde avec les autorités
cubaines ? Manet reprochait à Castro de soutenir officiellement l'entrée des chars russes à Prague. L'écrivain savait
qu'il « décevrait » jusqu'à la plus haute hiérarchie du pouvoir qui ne lui pardonnerait pas cette traîtrise orchestrée
depuis l'étranger. Il avait le tempérament de feu hérité
de Santiago de Cuba, la deuxième ville du pays. Son impé-
tuosité, ironisera-t-il dans *Mes années Cuba*, il la devait à son
jour de naissance, moment de chamboulement où même la
nature avait tenu à saluer coûte que coûte l'arrivée de celui
qui deviendra l'un des écrivains cubains les plus français :

«Je suis né à Santiago de Cuba le jour où la terre a tremblé. C'est du moins ce que soutenait ma mère. Croire ou ne pas croire, telle est la question. J'ai eu droit, au cours de ma petite enfance, à diverses versions de ce fait exemplaire. Tu es né à l'instant précis où le sol s'est mis à trembler, les murs à se fendre, les toits à s'effondrer. Le tremblement de terre avait commencé depuis quelques instants. La sage-femme haïtienne a eu la bonne idée de transporter le lit dans la rue. C'est là que tu es né! Le lendemain du plus terrible tremblement de terre de toute l'histoire de Santiago de Cuba, tu es venu au monde. Par chance, notre maison avait été épargnée par la furie des éléments...»

À l'époque de cette enfance à Cuba, les «traces françaises» étaient présentes, laissées par ces colons chassés de Saint-Domingue en 1804 au moment de l'indépendance d'Haïti et qui avaient échoué dans la ville portuaire cubaine. Ces Français avaient créé le quartier qui porte jusqu'à ce jour le nom de «Tivoli». Manet cherchera à incarner cette culture française dans l'île. Il parlait déjà couramment le français grâce aux recommandations de la femme d'un écrivain qu'il adulait et qui portait le flambeau littéraire du pays sur le plan international: Alejo Carpentier. C'est Madame Carpentier qui lui conseilla d'apprendre le français en lisant Proust dans le texte. Il y mit du cœur à l'ouvrage, à tel point qu'au cours de leurs échanges dans la langue de Voltaire, même Che Guevara en personne le prendra pour un Français[1].

---

1. Antoine Perraud, «Trois quarts d'heure avec Eduardo Manet», *Mediapart*, 1er avril 2008.

Plus tard, afin de mieux opérer sa métamorphose et «habiter» vraiment la langue et le pays d'adoption dans lequel il s'exilera, il ne s'appellera plus «Eduardo Manet Gonzalez», mais Eduardo Manet tout court. Et dans son roman *Le fifre* (2011) il jouera sur la question des origines – les siennes, évidemment – laissant entendre qu'il pourrait être le petit-fils du peintre français Edouard Manet. En «s'abritant» derrière cette paternité il consolidait sa fascination pour ce père fondateur de la peinture moderne, ami des plus grands écrivains de son temps comme Baudelaire ou Zola.

Manet me répétait à l'envi qu'il ne s'était pas exilé, que c'était en réalité le pays qui s'était éloigné de lui. Il aime sa ville natale, loue le courage de sa population et la place qu'elle occupe dans l'histoire de l'île. C'est à Santiago de Cuba que Fidel Castro commença à contester sur le terrain le règne du dictateur Fulgencio Batista qu'il finira par renverser en 1959. Manet reconnaîtra cependant que trois ans avant ce renversement le même Castro rata son expédition contre la caserne de Moncada – le deuxième fief militaire de Batista dans le pays – et provoqua par cette audace la mort de plusieurs de ses combattants, mais consolida en revanche Santiago de Cuba comme le véritable bastion de la résistance.

Pour prouver combien la ville de Manet est par essence révolutionnaire, ce dernier n'hésitera pas à remonter jusqu'au xviiie siècle lorsque des troupes armées composées de Britanniques et de Jamaïcains noirs tentèrent de mettre la main sur son paradis d'enfance. Il pointera l'index vers le ciel et, les sourcils bien froncés, il expliquera :

– Quand ces troupes britanniques ont débarqué par la baie de Guantanamo, elles ignoraient qu'elles étaient trop éloignées de leur objectif et qu'elles allaient succomber de fatigue et de nervosité ! Eh bien, nous les avions eues par l'usure, et surtout grâce à la sagacité des Espagnols qui nous aidèrent à contenir, puis à repousser cette invasion. Les gens vous diront que c'était une victoire espagnole, notamment du gouverneur Francisco de la Vega, du commandant Carlos de la Riva Agüero et du capitaine Pedro Guerrero... Je ne suis pas de cet avis ! On sous-estime trop souvent le culot et l'esprit révolutionnaire des autochtones !

J'écoutais sans broncher cet orateur intarissable me balader à La Havane, résumer un documentaire qu'il souhaitait produire, se rappeler cette époque des années 1950 où il faisait du mime dans la compagnie de Jacques Lecoq.

Et, lorsqu'il se taisait, je remarquais son regard nostalgique, avec les traits de ce petit garçon couvé par une nounou haïtienne et qui s'endormait, rassuré, et rêvait qu'il habitait dans le vaste pays des livres...

*

Manet se réveille juste une heure et demie avant l'atterrissage de l'avion à Paris.

Il décline le petit déjeuner que lui tend l'hôtesse et me le propose. Je lui fais savoir que j'ai déjà mangé pendant son sommeil.

Je lui demande s'il pourrait répondre à quelques-unes de mes questions que j'enregistrerais.

– Ah bon ? s'étonne-t-il.

– Quand j'apprécie un écrivain je garde souvent un document sonore de notre rencontre...

Il se racle la gorge, prend un air sérieux et me donne le feu vert d'un signe de tête.

Je sors mon téléphone portable et appuie sur le bouton d'enregistrement...

Tu es d'origine cubaine, tu écris en français, doit-on te considérer comme un écrivain hispanophone ou tout simplement un auteur français ?

Je suis plutôt un écrivain schizophrène... Je peux être très français ou profondément cubain. Mon ami Andreï Makine me dit souvent qu'on appartient à la langue dans laquelle on écrit. Je suis français quand j'écris en français. J'ai même écrit quelques poèmes en anglais et je commence à tourner des films en espagnol. Je suis un mélange, et c'est cela qui me plaît beaucoup. Disons que je suis un Franco-Cubain avec quelque chose de basque...

On nous présente souvent des images féeriques de Cuba, pourtant tout n'est pas si rose... En tant qu'Africain, j'aimerais savoir quelle est la condition des Noirs dans cette île ?

Avant la révolution, la couleur de la peau ne comptait pas si tu étais riche. Depuis la révolution, la population noire vit désormais loin, et elle vit très mal. Si on regarde au passage l'organigramme du pouvoir à Cuba, on constatera qu'il n'y a pas un seul Noir ! Il y a certes un mulâtre, mais celui-ci était déjà un des camarades de Fidel Castro.

On peut faire la même remarque concernant la représentation des femmes. Dans les grands hôtels de l'île, les Noirs sont des porteurs tandis que les Cubains à la peau blanche ont un meilleur traitement et des postes moins dégradants. Il y a donc une sorte de malaise, mais je ne vais pas généraliser et dire que toute l'île pratique systématiquement cette discrimination. On la constate ici et là, par petites poches.

Ton œuvre romanesque est largement saluée en France... et pourtant elle n'est pas traduite en espagnol, ta langue natale! Comment expliques-tu ce paradoxe?

Un de mes amis du quotidien espagnol *El País* me faisait d'ailleurs remarquer un jour à ce sujet : «Comment se fait-il que tu sois Cubain, parlant la langue espagnole, et que tu écrives en français alors que nous considérons que la guerre contre Napoléon n'est pas finie! Es-tu un traître?» Il faut savoir cependant qu'en Espagne, comme aux États-Unis, comme en Angleterre, si tu n'as pas un très bon agent littéraire, tu es foutu même si tu envoies tout ce que tu veux chez un éditeur. Je n'ai pas un bon agent littéraire en Espagne...

En somme la situation semble meilleure en France pour un écrivain?

En France, on peut dire tout ce qu'on veut, il y a toujours la possibilité d'envoyer son texte par la poste chez un éditeur, et c'est ce que je conseille souvent aux jeunes auteurs. Je le dis aux lycéens que je rencontre dans divers stages, d'autant plus que j'avais moi-même envoyé par la poste une nouvelle depuis Rome, nouvelle qui fut publiée dans une collection des éditions Julliard dirigée par Françoise Mallet-Joris. J'ai envoyé aussi par la poste *La Mauresque* publié par Gallimard, roman qui fut finaliste du prix Goncourt, et j'ai reçu le prix Interallié avec *Rhapsodie cubaine* publié chez Grasset, comme plusieurs autres de mes romans. Pour l'heure, il n'y a que mes pièces de théâtre qui ont été traduites et jouées en Espagne pendant six ans, mais pas les romans... Je sais que si j'avais publié depuis Cuba, j'aurais eu plus d'ouverture en Espagne et en Amérique latine. Malheureusement ce n'est pas le cas.

Pourtant ton roman La Mauresque *est une véritable traversée de l'histoire cubaine qui aurait pu intéresser de près l'espace hispanophone !*

En effet il traite des années 1930 à Cuba et, modestement, si on veut avoir une idée de l'histoire cubaine de ces années, le lecteur pourrait y trouver des liens avec l'actualité. Je sais qu'il y a déjà de jeunes intellectuels espagnols qui s'intéressent à mon cas... Un jour mes livres seront traduits dans cette langue, surtout pas à titre posthume, car je voudrais bien les voir !

Ta vie est une longue errance, un croisement de langues, une aventure à la fois culturelle et politique...

J'étais révolutionnaire avant la révolution, et je n'ai jamais eu la carte du Parti communiste cubain. Il faut dire la vérité : le Parti communiste cubain était un parti formidable, avec des intellectuels de la trempe de Nicolás Guillén. J'étais donc très proche de ce parti. Je traversais les États-Unis pour aller au théâtre à Broadway. À Paris, pour ne pas perdre des années, j'ai commencé à faire des études de théâtre. Je suis tombé amoureux tout de suite d'une jeune camarade que j'ai épousée trop tôt et avec qui on a eu un enfant. Batista ayant fait un coup d'État, je pensais que je ne pouvais plus retourner à Cuba. C'est pour cela que j'ai commencé à écrire premièrement en anglais. Et je me suis dit qu'écrivant en anglais, je devrais aller vivre à Londres ou aux États-Unis. J'y ai pourtant renoncé...

Et tu as fait un détour en Italie, au point de vouloir écrire en italien !

Oui, je suis allé en Italie pour faire des études, et j'ai commencé à écrire en italien ! Et puis j'ai croisé en France, au théâtre, un ami français, Jacques Lecoq – il avait créé une école de mime –, qui m'a invité, et j'ai entamé une carrière de mime ! Pendant ce temps, à Cuba, la révolution avait gagné. Comme j'étais un ami de plusieurs dirigeants – Raúl Castro par exemple, que j'avais rencontré à l'université ; Che Guevara, créateur de l'Institut du cinéma –, j'ai été invité à Cuba pour une rencontre culturelle. J'ai défendu une pièce d'un Argentin. J'avais tellement défendu celui-ci qu'on m'a demandé de faire la mise en scène de la pièce ! J'ai décrit tout cela dans *Mes années Cuba*. J'ai même travaillé à l'Institut du cinéma...

Sachant que tu étais proche de la révolution cubaine, qu'est-ce qui t'a incité à prendre tes distances et à quitter finalement l'île ?

Dans le cadre de mes activités culturelles je commençais à beaucoup voyager et à être invité partout dans le monde, notamment dans les pays de l'Est. J'ai constaté le cynisme total dans ces pays, et j'avais peur que Cuba vive la même situation d'autant que Fidel Castro s'était rapproché de l'Union soviétique. J'ai alors demandé un permis de sortie de six mois que le gouvernement m'a accordé. Pendant ce temps, il y avait des intellectuels qu'on emprisonnait, dont mes amis les plus proches. Et c'est l'ambassade cubaine qui m'a considéré comme un exilé. Je ne me considérais pourtant pas comme un exilé !

Tu ne peux donc plus rentrer à Cuba ?

Non. Depuis il y a eu plusieurs problèmes. Des problèmes, des nuances que toi tu peux mieux comprendre et que malheureusement beaucoup de Français ne comprennent pas. La nuance est la suivante : moi je défends les droits des hommes quels qu'ils soient et de n'importe quelle contrée. J'ai des amis qui sont en prison parce qu'ils expriment leur liberté. Pour le moment je ne peux pas retourner à Cuba.

Il y a un écrivain cubain que j'apprécie beaucoup : Leonardo Padura. Je sais par ailleurs que tu le défends souvent corps et âme. Que dirais-tu à ceux qui ne le connaissent pas pour les inciter à le lire ?

Je dirais que Padura est un grand écrivain, et c'est avec joie que je le défends à mort. Il a écrit plusieurs livres qui brassent le genre policier, et un autre, magnifique, sur le poète cubain José-Maria de Heredia – livre qui est une véritable œuvre parce que Padura expose la situation cubaine. C'est non seulement un sage, mais aussi un grand écrivain avec un style très personnel. Il ne doit rien à personne. J'espère qu'il pourra continuer dans cette voie...

*

L'avion a atterri il y a maintenant une demi-heure, et nous longeons un des couloirs de l'aéroport qui mènent vers les bagages.

– Tu restes un peu à Paris ? me demande-t-il.

– Oui, cinq jours.

– Alors passe-moi un coup de fil, on prendra un café. Et puis, ça me permettra aussi de relire tout ce que je viens de te raconter car il ne faut jamais se fier à ce qu'on dit, surtout lorsqu'on est dans le ciel : Dieu ne corrige jamais nos fautes...

DOUALA

> *« Vous les écrivains, vous pensez que le monde est forcément peuplé de personnages de romans et que la vraie vie c'est celle que vous imaginez, pas celle que nous vivons ! »*
>
> Suzanne Kala-Lobè

En 2003 j'arrivai par voie maritime à Douala, la capitale économique du Cameroun, à l'occasion de l'opération « Portes d'Afrique » organisée alors par *Le Figaro* dans le dessein de valoriser les villes portuaires du continent noir.

Douze « escales littéraires » avaient été prévues dans douze ports d'Afrique – Massaoua, Port-Saïd, Djibouti, Mombasa, Maputo, Le Cap, Luanda, Douala, Cotonou, Dakar, Tanger et Alger – accueillant chacun un des douze écrivains impliqués dans le projet : la Sénégalo-Béninoise Ken Bugul, le Béninois Florent Couao-Zotti, les Français Marc Dugain, Olivier Frébourg, J.M.G. Le Clézio, Marie Nimier, Erik Orsenna, Jean Rolin, Jean-Christophe Rufin, Denis Tillinac, le Djiboutien Abdourahman Waberi et moi-même.

Libres de nos mouvements et de l'organisation de notre temps, nous avions pour seule « contrainte » de commettre individuellement une nouvelle qui paraîtrait dans le supplément littéraire du *Figaro*. L'ensemble des textes serait par la suite publié dans un beau livre avec des photographies de Véronique Durruty et Thomas Goisque[1]...

Malgré la suggestion des organisateurs qui souhaitaient que j'écrive sur Pointe-Noire, la cité portuaire congolaise, lieu de mon enfance, j'avais opté pour Douala que je ne connaissais pas. Pointe-Noire ne figurait plus de ce fait sur la liste des villes à « inspecter ». Je suivais peut-être les conseils de Jean-Christophe Rufin qui nous rappelait d'un air grave, à la lisière de l'inquiétude, que déplacer les « écrivains voyageurs » ne serait une bonne idée que si c'était pour les conduire là où ils ne seraient jamais allés.

Une autre raison, la plus directe en réalité, m'animait : il n'était pas question pour moi de jouer au globe-trotter littéraire dans mon lieu de naissance où, me disais-je, mes parents, enterrés au cimetière de Mont-Kamba, m'auraient sans doute exigé des comptes depuis l'autre monde.

Dès le soir de mon arrivée je reçus la visite de Suzanne Kala-Lobè qui m'attendait dans le hall de l'hôtel où j'allais résider. Je connaissais de réputation cette linguiste et femme de médias cataloguée par ses confrères comme « la pire des journalistes que le Cameroun ait connus » ou

---

1. *Nouvelles d'Afrique*, collectif, Gallimard, 2003.

de «plume sincère, mais pas amère» parce qu'elle disait haut, à ses risques et périls, ce que la population entière pensait tout bas[1].

De taille moyenne, les cheveux courts et grisonnants, j'avais en face de moi une femme dont la détermination et la rigueur morales se dévoilaient à travers ce regard vif et pénétrant qui ne la quittait pas un seul instant. Après son diplôme d'études approfondies en sciences politiques et son doctorat en linguistique, obtenus en France, elle décida de retourner définitivement dans son pays natal afin de pérenniser la mémoire de son père Iwiyè Kala-Lobè, un des personnages les plus connus de la nation et qui venait de mourir. Le père Kala-Lobè avait été un collaborateur très proche du roi Alexandre Douala-Bell. Ce dernier était lui-même le fils de Rudolf Douala Manga-Bell, le descendant des fondateurs de la ville de Douala qui contestait âprement le traité de protectorat avec les Allemands. Rudolf Douala Manga-Bell estimait en effet que le découpage territorial opéré par les colons allemands conduisait à l'expropriation des terres de la plupart des membres de l'ethnie douala. À ce titre il devint le premier nationaliste camerounais, mais sera pendu par les Allemands en août 1914...

On retrouvera le père Kala-Lobè à Paris, travaillant pour les éditions Présence Africaine, participant à l'organisation des deux Festivals mondiaux des «Arts nègres» en 1964 à Dakar, puis en 1977 à Rome. Le but de ces congrès, dira un des organisateurs, Léopold Sédar Senghor, était

---

1. Alix Fétué, «Suzanne Kala-Lobè, la plume sincère, mais pas amère», *Journal du Cameroun*, 10 février 2010.

«d'affirmer la contribution des artistes et écrivains noirs aux grands courants universels de pensée et de permettre aux artistes noirs de tous les horizons de confronter les résultats de leurs recherches».

Le père Kala-Lobè fonda le journal *Le Petit Camerounais* dans lequel paraissaient ses chroniques, qualifiées d'«acidulées» par les lecteurs – ce qui, dans le langage camerounais, signifiait «acides, lucides et adulées».

Suzanne Kala-Lobè grandit ainsi dans une famille intellectuelle et engagée. Comme son père, elle se lança dans le journalisme. Chroniqueuse au quotidien *La Nouvelle Expression*, éditorialiste du groupe de radio *Équinoxe*, elle était redoutée par les hommes politiques. Sa mémorable lutte acharnée contre la loi punissant l'homosexualité fit couler beaucoup d'encre dans un pays où les homosexuels et les lesbiennes sont encore traités de malades ou de démons. Kala-Lobè savait qu'elle livrait une bataille contre une société foncièrement homophobe. La population est manifestement complice de cette marginalisation car, dans le français populaire – le «camfrançais» –, le mot «bilinguisme» signifie «bisexualité». Un mot utilisé jadis dans les bars pour désigner l'état de celui qui pouvait consommer indifféremment de la Heineken ou la Mutzig, de la Primus ou de la Castel. En 2006 les journaux publiaient en toute impunité la liste des personnes publiques considérées comme «habitées par le Diable» et pratiquant le «bilinguisme». Kala-Lobè fut l'une des rares voix à réclamer le respect de la liberté sexuelle.

En 2009, elle s'insurge contre certains de ses compatriotes exilés qui veulent imposer leur vision à ceux qui, au quotidien, subissent les conséquences d'un régime politique autoritaire. Elle adresse alors une lettre ouverte demeurée depuis dans le pays comme un «modèle» du genre et qui paraîtra dans les colonnes de *La Nouvelle Expression*. D'entrée de jeu, la charge est lourde :

«Mes chères compatriotes et chers compatriotes,
Par votre activisme débordant mais pas toujours efficace vous avez eu le mérite de faire monter à la surface de l'espace public un débat qui m'a toujours préoccupée depuis que je suis rentrée au Cameroun, il y a maintenant deux décennies : c'est le décalage qu'il y a entre un pays fantasmé, que l'on voit tel qu'on le rêve, sans savoir si on veut transformer le rêve ou le pays et le pays réel dans lequel vivent des millions de Camerounais. [...] Du haut de la tour Eiffel, on peut voir les merveilles du monde, et la tour de Pise a beau être en déséquilibre permanent, ceux d'entre vous qui rament à Venise, Paris ou Londres ont la prétention et les papiers qu'il faut pour décrire le présent de l'Afrique et prévoir avec une voyance ultralucide ce que demain sera pour nous tous. J'ai envie de vous dire : redescendez sur terre. Redescendez vite les marches de la tour Eiffel, écrasez avec vigueur vos lunettes grossissantes et regardons ensemble ce qui cloche dans votre démarche... Maintenant si vous vous ennuyez et si le pays vous manque : sortez de vos HLM ou vos appartements bourgeois. Ne vous laissez pas asphyxier par la fumée nostalgique des plats-pays. Rompez avec vos habitudes d'immigrés. Prenez un billet d'avion tous les trois mois et venez réfléchir avec nous à la meilleure stratégie pour sortir le pays des griffes de tous les imposteurs. Je sais que vous saurez

173

me lire et je vois déjà vos objections. Mais ça ne fait rien, j'attends, je suis disposée au débat[1]...»

Évidemment, beaucoup de Camerounais – surtout ceux de l'étranger – lurent cet acte d'accusation comme une allégeance de l'intellectuelle au pouvoir en place. Mais, une fois de plus, la Lionne avait sorti ses griffes...

*

Ce soir-là donc, après un pot au bar de l'hôtel, Suzanne proposa qu'on aille au Cabaret :
– Ne t'attends surtout pas au grand luxe, c'est un bar de quartier et au Cameroun, quand on dit «bar de quartier», ça veut dire ce que ça veut dire...!
Nous étions dans un taxi qui roulait à tombeau ouvert. Suzanne fit la remarque au taximan qui, nous guettant depuis son rétroviseur intérieur, lâcha :
– Madame Kala-Lobè, si je roule à la tortue on arrivera avant-hier au Cabaret!
Elle se tut après m'avoir manifesté tout bas sa satisfaction d'avoir été reconnue par un «Camerounais moyen» :
– Tu as vu? Le Cameroun c'est ça! Ces hommes et ces femmes ordinaires qui font tourner le pays malgré la conjoncture très difficile...
Le taxi nous déposa enfin devant le Cabaret.

---

1. Suzanne Kala-Lobè, «Lettre à la diaspora», *La Nouvelle Expression*, 20 juillet 2009.

Je crus que je pénétrais dans une cave préhistorique. Je dus d'abord fermer les yeux pendant quelques secondes avant de les rouvrir progressivement, puis les écarquiller afin de mieux distinguer cette clientèle bruyante et dissimulée dans un nuage épais de fumée de cigares. Chaque individu semblait surgir d'une autre planète et certains, endimanchés tels des pingouins, fumaient leur cigare le regard en biais comme si le roi n'était pas leur cousin.

J'entendais des notes d'un piano, persistantes et fausses, qui provenaient du fond de la salle. Cela me prit quelques minutes avant de comprendre qu'un artiste jouait et faisait corps avec son instrument, aussi bien dans l'âge que dans l'espace étriqué qu'on lui avait affecté à défaut de se débarrasser de celui-là que tout le monde surnommait «le pianiste anonyme» ou encore de «le musicien bossu».

Il n'était pas un bossu, cependant sa manière insolite et laborieuse de se pencher sur son vieil instrument lui infligeait une silhouette de bossu qui se reflétait en immense ombre chinoise sur le mur derrière lui.

– Ça fait trente ans qu'il joue, me souffla Suzanne, et ça fait trente ans qu'il n'a pas accordé ce piano.

– Il a appris le piano où?

– C'est un autodidacte, et quand il a joué ses premières notes le grand Manu Dibango ne savait même pas ce qu'était un saxophone!

– Donc il connaît Dibango?

– Bien sûr! Ils ont joué dans ce cabaret! Quel grand artiste de ce pays n'est pas passé au Cabaret? Bon, le destin est aveugle: Dibango a bien percé sur le plan international au point d'avoir été plagié par Michael Jackson, mais

notre pianiste est resté là, au même endroit, connu seulement des habitués du Cabaret. C'est pour ça que je tenais
à ce que tu voies ça de tes propres yeux, c'est un vrai personnage de ce bar, ce type ! Sans lui, le Cabaret ne vaudrait
plus rien...
— Je suppose qu'il joue les titres de Dibango ?
— Jamais ! Comme il est convaincu qu'il a du talent, il
clame à tout vent que Dibango lui a piqué ce qui lui manque :
la chance.
— Il joue ses propres compositions ? C'est merveilleux !
— Non, il n'en a pas ! Depuis trente ans, comme ce soir,
il ne joue que *The Entertainer* de Scott Joplin qu'il retourne
à toutes les sauces...
— Et ça ne dérange personne qu'il joue faux comme ça ?
Suzanne observa le musicien qui tirait une bouffée de
cigare d'une main et continuait à jouer de l'autre :
— Eh bien, quand les gens ne veulent pas gâter leurs
tympans ils lui filent 30 000 francs CFA pour qu'il ne joue
pas de la soirée...
— Et il s'arrête ?
— En général, oui, mais les choses se compliquent lorsqu'un autre client lui file 40 000 francs CFA pour qu'il
continue à jouer ! C'est ça l'ambiance de ce bar : les gens se
lancent régulièrement dans des batailles burlesques pour
des victoires ridicules. Ce qui est rassurant c'est qu'au
moins, à la fin, c'est le vieux pianiste qui est gagnant : il a,
paraît-il, acheté deux maisons grâce à ce piano, une du côté
de Yaoundé, une autre dans son village à Bafoussam... Il y
a des soirées où il quitte le Cabaret avec plus de 5 millions
de francs CFA parce que l'émulation aura été intense entre

les Camerounais qui vivent ici et ceux qui viennent d'Europe. Ces derniers, que je critique sans ménagement, se la jouent tellement qu'ils claquent des fortunes juste pour épater ces petites filles aux jupes courtes qui bousillent les ménages des bons pères de famille de ce pays...

Nous étions restés au comptoir tout au long de la soirée. Pendant qu'elle me brossait la situation de la presse dans son pays, je fixais plutôt une petite pancarte derrière le serveur, entre deux bouteilles de rouge. Ce qui l'inquiéta un peu :

— Tu regardes quoi ?

— Ce qui est écrit sur la pancarte : *Le crédit a voyagé* !

Sans paraître surprise elle m'expliqua :

— Ça veut dire que la maison ne fait plus crédit, et si demain tu reviens ici tu liras la même chose ! Nous on n'y prête plus attention, ça fait partie du décor. Il y a pourtant des malins qui parviennent à décrocher un crédit. Comme on dit ici, le Cameroun c'est le Cameroun... !

Je restais silencieux.

— Pourquoi tu ne dis rien ? Tu n'es pas convaincu, c'est ça ?

— Non, c'est que... Tu ne trouves pas qu'étrangement «Le crédit a voyagé» c'est une très belle association de *Mort à crédit* et *Voyage au bout de la nuit* ?

Elle considéra l'écriteau, la mine dubitative :

— Qu'est-ce que Céline foutrait dans un boui-boui pareil, hein ? C'est vrai que ses bouquins sont aussi pourris que ces lieux mais, écoute, on est ici pour prendre un pot pas pour philosopher sur un écrivain qui ne fait pas de toute façon l'unanimité dans son propre pays! Tu veux qu'on parle de son attitude pendant l'Occupation ou des pamphlets nauséeux qu'il a pondus à l'époque, hein? Et sa vision grossière et caricaturale de l'Afrique dans son *Voyage au bout de la nuit*, tu veux qu'on en parle?

Se reprenant, comme si elle se rendait enfin compte qu'elle avait haussé le ton pour rien, elle prit un air conciliant:

– Bon, je ne m'énerve pas, mais vous les écrivains, vous pensez que le monde est forcément peuplé de personnages de roman et que la vraie vie c'est celle que vous imaginez, pas celle que nous vivons! Pourquoi ne vivez-vous pas dans vos romans avec vos personnages au lieu de nous polluer la vie, nous qui la vivons de façon simple et pragmatique, hein?

Plus tard, alors que le bar se remplissait de plus en plus et qu'il était presque impossible de bouger, je lui fis part de la fatigue qui commençait à me ronger à cause de tous ces jours en mer.

Quelques taxis étaient garés devant le Cabaret. Pendant que j'entrais dans l'un d'eux, Suzanne murmura:

– C'est vraiment dommage que tu n'aies gardé de ce bar que le souvenir de cette formule stupide et qu'aucun Camerounais ne respecte au regard de la situation économique actuelle...

Une fois dans ma chambre d'hôtel, je songeai plus que jamais à cette formule. «Le crédit a voyagé» devint le nom du bar dans mon *Verre Cassé*, et ce bar sera central dans tout le roman. Cela ne m'étonnait pas du tout car j'ai écrit la plupart de mes romans dans trois ou quatre continents, et je dois l'existence de mes personnages à l'incertitude et à la variété de leurs lieux de naissance. Mes protagonistes n'auraient jamais existé si je m'étais obstiné à les « faire venir au monde » sans qu'ils aient désigné eux-mêmes leur berceau, et surtout laissé sur ma route de migrateur le « détail » en apparence insignifiant, mais qui provoque la parturition, comme je venais de le vivre au Cabaret...

*

Je quittai Douala six jours plus tard, une fois de plus par voie maritime, emportant avec moi l'âme du Cabaret et l'ombre de ce pianiste anonyme dont les fausses notes résonnaient en permanence dans ma tête.

J'arrivais à Cotonou où il me fallait prendre un avion pour regagner la France, puis mon pays de résidence, les États-Unis. J'y fus reçu par l'écrivain béninois Florent Couao-Zotti à qui on avait affecté cette ville de son pays. Nous errions dans les ruelles poisseuses du fameux quartier Djonké où s'alignaient les prostituées locales et celles venues tout droit du Ghana ou du Nigéria et que cet auteur avait peintes avec un réalisme saisissant dans son roman *Notre pain de chaque nuit* (1998).

Pendant les quatre jours de cette halte Florent et moi mangions dans un restaurant « en plein air » tenu par une dame de corpulence massive appelée « Maman Benin », toujours assise devant une marmite gigantesque, une grosse cuillère à la main gauche et qui portera dans *Verre Cassé* le nom de « Madame Mfoa » alias « la Cantatrice chauve ».

Ce restaurant était prisé par le «petit peuple» qui pouvait manger à sa faim pour un prix modique, et il était possible de demander à Maman Benin de rajouter une boulette de viande ou de la farine de maïs si le client ressentait que son ventre n'était pas plein. Elle grognait certes, mais capitulait et vous déversait l'équivalent d'un plat entier dans l'assiette sans pour autant que vous ressortiez de l'argent de votre poche. Elle se contentait de murmurer :

— Mange bien, mais dis à tous tes amis de venir au restaurant de Maman Benin : c'est le meilleur endroit du pays...

*

Je croisai de nouveau Suzanne Kala-Lobè à Paris.

Elle avait un exemplaire du roman qu'elle venait, me précisa-t-elle, de «prendre» chez sa tante, Christiane Diop, comme pour me reprocher indirectement de ne lui avoir pas fait parvenir l'ouvrage au Cameroun en service de presse.

Gouailleuse, la Lionne dégaina :

— C'est pareil avec vous, les écrivains africains : vous campez vos romans en Afrique, et nous sommes les derniers à les recevoir ! Tu trouves normal, toi, que pour te lire je doive me déplacer jusqu'en France et piquer le bouquin dans les rayons de la librairie de ma tante ?

Sa tante, celle que nous appelions avec déférence «Madame Diop», était la directrice des éditions Présence Africaine qui abritent également une librairie, rue des Écoles, depuis les années 1950. La maison d'édition et la librairie ont vu passer les noms les plus prestigieux des Lettres du «monde noir»: Léopold Sédar Senghor, Aimé Césaire, Léon-Gontran Damas, Bernard Dadié, Chinua Achebe, Wole Soyinka, Jacques Rabemananjara, Édouard Glissant, Mongo Beti. De même que ces Européens qui, de près ou de loin, accompagnèrent le mouvement de la négritude et que Madame Diop avait croisés avec son époux et fondateur de la maison, Alioune Diop: Théodore Monod, Michel Leiris, Georges Balandier, Jean-Paul Sartre ou encore Albert Camus.

Suzanne me coupa dans mes pensées en m'apprenant la mort du pianiste anonyme de Douala:

– J'ai lu ton livre, et je n'ai qu'un seul regret: tu n'as pas rendu hommage à ce pianiste qui n'est plus de ce monde. Tu avais l'occasion de lui faire jouer du piano avec des vraies notes dans ton roman, hélas, je constate que ce n'est pas du tout le cas...

Peut-être à cause de la mine obscure que j'affichai soudain, elle se rattrapa:

– Remarque, tu lui as quand même rendu hommage, je suis la seule au monde, avec toi, à le savoir: ton personnage principal que tu as nommé Verre Cassé, c'est ce pianiste-là! Est-ce que je me trompe, hein? Et puis, qu'on se le dise entre nous, ton bar que tu nommes Le Crédit a voyagé dans le bouquin, c'est le Cabaret de Douala, point final!

Elle brassa une dernière fois les pages de mon livre et le rangea dans son sac en plastique avant de sortir de la librairie sans me dire au revoir. Je la vis s'éloigner comme une ombre errante, et je ne pus m'empêcher de penser que cette femme était sans doute l'une des observatrices les plus attentives de la vie intellectuelle africaine. Perdue dans un monde où la parole est monopolisée depuis la nuit des temps par la gent « masculine », Suzanne Kala-Lobè a toujours cru que son combat n'avait de sens que « sur place », qu'un jour ou l'autre, dans le continent noir, on finirait par entendre un autre discours, moins africaniste, plus ouvert à la rumeur du monde. Combien de temps cela prendra-t-il ?

BUENOS AIRES

> *« J'ai horreur des auteurs qui me prennent la*
> *tête. C'est pas le cas de Sábato, et c'est presque si*
> *facile que je ne comprends pas pourquoi je n'étais*
> *pas né avant lui pour écrire* Le Tunnel... »

Richard

Richard, mon ami d'enfance, aurait voulu naître à Buenos Aires et surtout mourir dans cette ville qu'il n'avait d'ailleurs jamais visitée mais qu'il aimait, disait-il, rien que par ses sonorités très poétiques. Je savais pourtant que son amour infini pour cette ville d'Amérique latine s'expliquait par ses lectures et, même aujourd'hui, chaque fois que j'ouvre les pages du *Tunnel* de l'écrivain argentin Ernesto Sábato je me revois à cette époque où, en classe de terminale, Richard me répétait à longueur de journée que Sábato l'impressionnait, que l'auteur argentin était la cause de son infortune et avait donc ruiné ses chances de marquer l'histoire littéraire. Il regardait alors cet ouvrage d'un œil rouge, le humait, le retournait pour nous lire la quatrième de couverture avant de le ranger d'un geste d'abdication

185

dans sa petite bibliothèque en contreplaqué où trônaient quelques romans de Gérard de Villiers, de San-Antonio et de Guy des Cars que nous achetions à la «librairie par terre» du cinéma Rex. Ces fictions populaires nous permettaient de nous évader et, chaque matin, nous nous levions de bonne heure pour nous rendre devant le cinéma Rex et vérifier s'il y avait des «nouveautés». C'était grâce à cette «librairie par terre» que nous avions lu *Sang d'Afrique* de Des Cars et la plupart des aventures de San-Antonio et son acolyte Bérurier. Il arrivait que quelques ouvrages que certains rangeaient dans la catégorie de «littérature trop sérieuse» traînent également par terre, ne trouvant pas de lecteurs. C'était le cas de quelques livres de la bibliothèque de la Pléiade, des poésies de José-Maria de Heredia ou de Paul Claudel. Le «libraire» était un ancien boxeur qui se ventait d'avoir été le premier Congolais à porter la flamme olympique, mais personne ne se souvenait de cet exploit, encore moins de ses combats au gymnase de Nkouikou qu'il racontait aux lecteurs devant son étal en liant le geste à la parole au point qu'il fallait ne pas être en face de lui au risque de recevoir un uppercut. Où trouvait-il ces livres qu'il étalait devant l'entrée du cinéma? Il les trouvait au centre-ville, dans les hôtels Victory Palace et Atlantic Palace où les expatriés en vacances s'en débarrassaient avant de rentrer en Europe. Il était de mèche avec les réceptionnistes de ces établissements qui les lui mettaient de côté et à qui il laissait un pourboire. L'après-midi on le voyait longer l'avenue de l'Indépendance avec un gros sac, et nous savions que celui-ci contenait des nouveautés. Le libraire déployait un pagne par terre devant le Rex, rangeait les livres selon leur volume et prêtait surtout attention aux piles de romans d'espionnage de G.-J. Arnaud, de *Sam et Sally*, de Jean Bruce et son agent OSS 117 ou encore de Ian Fleming et son célèbre James Bond.

Richard était sans conteste un des meilleurs clients de ce «libraire». En réalité, si celui-ci lui accordait une attention particulière c'était parce que mon ami achetait les yeux fermés les livres qui n'intéressaient personne : de la poésie, du théâtre et des gros essais qui servaient en fait à caler les quatre extrémités du pagne sur lequel étaient alignés les ouvrages...

Et puis, il y avait *Le tunnel*, roman qui avait rendu mon ami amer et hargneux au point que pour lui, soutenait-il, personne n'avait plongé de cette façon dans les eaux troubles de l'humanité, qu'il était presque choquant de constater qu'on pouvait édifier un monument avec des matériaux simples de la vie quotidienne : les sentiments. Accusant le coup, il concluait :

– Le vrai écrivain est celui qui arrive à atteindre la sobriété. Sábato l'avait compris dès ce premier roman. J'ai horreur des auteurs qui me prennent la tête. C'est pas le cas de Sábato, et c'est presque si facile que je ne comprends pas pourquoi je n'étais pas né avant lui pour écrire ce livre...

Surexcité, il parlait de sa vocation ratée avec une rancœur à peine masquée. Pris de compassion, je détestais moi aussi Ernesto Sábato qui avait brisé les rêves de mon ami.

D'une mine de dépit, Richard jetait une fois de plus un regard sur la couverture du livre qui montrait un artiste concentré à peindre une femme. Puis, soupirant, il lâchait :

– Les vrais écrivains sont ceux qui aiment la peinture. C'est obligé, je te jure ! Il n'y a pas de grande histoire sans la peinture. Sábato l'avait aussi compris, lui. Or moi je ne suis même pas peintre, c'est donc foutu pour de bon. Tu peux garder le livre, je te l'offre...

*

J'ouvris *Le tunnel* avec à la fois une grande curiosité et une rancœur dictée par la solidarité amicale.

Le livre trônait quelques jours avant au-dessus de mes notes prises au lycée Karl-Marx, et je reportais chaque fois le moment où j'allais enfin entreprendre la lecture de cette œuvre.

Je pris le livre et m'installai sur un banc devant notre parcelle, en face du célèbre coiffeur Moulounda, sans doute pour anticiper l'ennui. Si le livre me tombait des mains, je pourrais au moins regarder ces hommes et ces femmes de notre quartier qui attendaient leur tour devant le salon de coiffure.

Je lus les premières pages.

Au premier abord je me dis qu'il ne s'agissait que d'une fiction ordinaire avec en toile de fond une histoire de crime et, comme d'habitude, ce serait au lecteur de dénouer l'énigme et de deviner le coupable grâce à l'accumulation des indices que le romancier laisserait ici et là. Les recettes étaient rodées et commençaient à lasser. Une histoire d'amour. Un crime. Un criminel qui avoue ou qui est pris la main dans le sac parce qu'il avait négligé un petit détail.

Rien de neuf sous le soleil. Cela ne m'impressionnait donc pas...

Le soir, dans mon lit, j'avais toujours le livre.

Je n'étais plus dans cette ville de Pointe-Noire, j'étais ailleurs. Loin, dans une contrée où le temps passait sans que je me rende compte. Comment Sábato avait pu traiter de manière aussi brève une telle histoire dont la complexité s'accroissait dès qu'on tournait une page ? Il y avait dans la peinture de chaque personnage un pouvoir de persuasion si intense que les scènes se déroulaient presque dans ma pièce.

Je ne pouvais plus dormir. Oui, quelque chose d'étrange se tramait entre ces pages. Ce livre était une toile qu'il fallait observer attentivement avant de fermer les yeux puis de la reconstituer dans son propre imaginaire. Je devais dénicher le détail égaré quelque part dans le rouge de ce sang jailli d'un crime pour le moins inexplicable mais que le narrateur tentait de justifier avec la froideur et l'hypocrisie d'un avocat véreux.

Au milieu du livre, la voix du narrateur devenait désormais mienne. Je lisais à haute voix. J'accompagnais les faits et gestes du personnage-narrateur Juan Pablo Castel. Je vivais ses angoisses, j'endurais ses phobies et je compatissais à son sort. Qui était réellement cet artiste meurtrier ? Pourquoi me parlait-il depuis une cellule ? Pourquoi me confessait-il son meurtre en des termes aussi secs et distants au point que je me métamorphosais moi-même en meurtrier ? Pourquoi ce Juan Pablo Castel avait-il assassiné de la sorte la pauvre Maria Iribarne Hunter – une femme qu'il avait croisée dans un salon et qui admirait pourtant une des ses peintures? Avait-il encore une conscience après un tel forfait? Et cette Maria Iribarne Hunter, c'est la même femme qu'il allait croiser dans les rues de Buenos Aires et qui allait devenir sa maîtresse!

J'étais, moi aussi, devenu amoureux de Maria Iribarne. La jalousie de Juan Pablo Castel m'habitait. Je la sentais qui remontait depuis mon estomac et qui étouffait ma gorge. Je tremblotais en tournant les pages. Si le narrateur espionnait sa maîtresse dans les actes de sa vie quotidienne ou lui posait moult questions sur ses sorties de la journée, moi je la recherchais de page en page jusqu'au drame. Moi, lecteur, je savais que Maria Iribarne devait déjouer les lacs du futur criminel, mais celui-ci ne le savait pas. J'étais tour à tour victime et assassin. Comment pourrait-on lire *Le tunnel* sans sentir son cœur battre pour Maria Iribarne Hunter? Juan Pablo Castel est rude, maladroit. C'est le tourment d'un personnage pris dans les tenailles de la passion amoureuse et de la jalousie la plus viscérale.

Au-delà de ce qu'on pourrait prendre pour un simple «drame de jalousie», Sábato se livrait à une réflexion sur la solitude de l'artiste. Albert Camus – qui salua le livre à sa parution – avait bien perçu «l'absurdité» de ce récit. Qu'est-ce que *Le tunnel* sinon un être écartelé qui se mire, un dialogue intérieur très à la marge du «réalisme merveilleux» alors en vogue dans le paysage littéraire latino-américain. À la fable et au «merveilleux» déployés par plusieurs de ses contemporains, Sábato nous proposait plutôt un existentialisme glacé dans ce premier roman, d'emblée un véritable coup de maître. L'écriture très épurée convoquait sans cesse l'émotion du lecteur. En parcourant ce livre on entrait dans le «tunnel» le plus sombre de nos sentiments. La confession ne pouvait se substituer au pardon. L'ayant compris, Juan Pablo Castel devenu artiste meurtrier continuait à aimer celle qu'il avait pourtant tuée. L'amour au-delà de la vie. Ce à quoi aspirent les grandes œuvres, et celle de Sábato en fait partie...

Avec le temps je me dis que Richard m'avait au fond appris sans le savoir le pouvoir de la littérature, celui-là qui nous catapulte dans un autre monde où il nous est permis de rêver et de devenir un Argentin né à Buenos Aires...

MARRAKECH

> *« C'est ce jour-là que je me suis rendu compte que je ne parlais en fait qu'une seule langue et que je confortais l'image caricaturale de l'Américain de base, monolingue et convaincu que le monde entier mangeait, buvait, et respirait en anglais. »*

Douglas KENNEDY

Au mois de septembre, à Marrakech, je croise souvent l'écrivain américain Douglas Kennedy au Churchill, le bar du palace La Mamounia. Douglas a horreur qu'on s'adresse à lui en anglais dans un pays où le français est présent. Ce ne sont pas tant les Marocains qui se risquent à l'aborder en anglais, mais quelques lecteurs qui le reconnaissent et pensent ainsi, sans doute de bonne foi, lui faire plaisir. Or cela le met hors de lui. Comme si le fait de perdre la moindre occasion d'échanger en français ruinait les années qu'il avait consacrées à apprendre cette langue...

Ce soir encore, alors que nous prenons un verre dans un coin de cet établissement, deux Français accostent en anglais l'auteur américain. Celui-ci feint de ne pas remarquer leur présence. Il continue à me parler de Rachid O. et de son roman *Analphabètes* qu'il me dit avoir lu en une seule nuit :

– On m'a appris que le livre de Rachid O. a suscité des remous auprès du public marocain parce qu'il évoque l'homosexualité et l'islam alors que, moi, je l'avais lu comme un des hommages les plus émouvants qu'un auteur ait rendu à son père dans la littérature maghrébine...

Comme un des deux Français insiste à vouloir lui parler, toujours en anglais, Douglas tempête :

– Excusez-moi, messieurs, pourquoi me parlez-vous en anglais, hein ? Je n'ai pas appris le français pour que ce soient en plus les Français eux-mêmes qui m'empêchent de l'utiliser, voyons !

Il me désigne du doigt :

– Lui qui est en face de moi, il vit et enseigne à Los Angeles depuis des années, il est francophone comme vous, et jamais nous ne nous sommes échangé un seul mot en anglais depuis que nous nous connaissons !

Très en forme, il n'en démord pas et décoche une ultime flèche empoisonnée :

– Et puis, que je vous dise, je ne comprends pas du tout votre anglais ! Nous gagnerions plus de temps en nous exprimant en français, si cela ne vous dérange pas, messieurs. Autrement nous n'aurions plus rien à nous dire et je vous souhaiterais une bonne soirée...

Les deux inconnus se retirent vers le comptoir et nous regardent de loin.

Douglas remarque mon étonnement devant son «intolérance». Avant que je ne lui pose ouvertement la question sur les raisons de son attitude, il avance :

– Écoute, j'ai commencé à apprendre le français en 2000 après une situation très embarrassante que j'avais vécue une année plus tôt en France. J'avais un dîner à Paris avec mon éditrice française. Il y avait d'autres invités, et la pauvre femme passa la soirée entière à traduire en français ce que je disais et à me traduire en anglais les propos des autres convives. C'est ce jour-là que je me suis rendu compte que je ne parlais en fait qu'une seule langue et que je confortais l'image caricaturale de l'Américain de base, monolingue et convaincu que le monde entier mangeait, buvait et respirait en anglais. Que devrais-je faire pour réparer cela et éviter à Françoise ce genre de calvaire chaque fois que je reviendrais en France ? Eh bien, j'ai décidé de solliciter les services d'un professeur privé qui m'enseignerait le français ! Peu m'importait le prix que cela allait me coûter, j'étais très déterminé : j'ai pris des cours quatre fois par semaine, et cela pendant huit ans, c'est-à-dire l'âge de raison plus une année !

Admiratif devant une telle opiniâtreté, je lui demande :

– Et il n'y a pas eu de moments de doute où tu t'es dit : «Ça suffit, je n'y arriverai pas, j'arrête !»

– Ah non ! J'ai fait mieux !

– Comment ça ?

Il s'empresse de rallumer le mégot de son cigare avant de poursuivre :

– Oui, j'ai fait mieux : j'ai pris un pied-à-terre à Paris où je passai désormais une semaine par mois afin de parfaire mon immersion linguistique. Il n'y a pas mieux que le contact avec les gens, pas forcément ceux du milieu littéraire. L'épicier du coin, le clochard assis dans le métro, la concierge de l'immeuble dans lequel je vivais devenaient mes «professeurs». Ils ne raillaient aucunement mon accent et m'ouvraient les portes du vocabulaire populaire...

Il enchaîne :

– C'était une vraie bataille, d'autant que mon attachée de presse chez Belfond insistait maintenant pour que je fasse la plupart de mes interviews en français! Cela ne pouvait que me pousser à aller de l'avant. C'est depuis cette époque que je refuse de converser en anglais avec mes amis français. En gros, ça prend au moins dix ans pour être complètement à l'aise dans une autre langue, et pourtant je me considère sans cesse en train d'apprendre...

Il écrase le mégot dans le cendrier, commande un autre verre de whisky :

– Au fond, les écrivains sont les plus grands ambassadeurs de la langue. Oui, ce sont eux qui expriment sa beauté, ses nuances, sa poésie et son charme. J'ai été émerveillé par *Madame Bovary* qui incarne, pour moi, la naissance du roman moderne puisqu'il traite en réalité de l'aspect le plus désespéré de notre condition humaine : l'ennui. Je me souviens aussi d'avoir été fasciné à la fac par la lecture de *L'âge de raison* de Sartre. J'adore Simenon et, parmi les auteurs français contemporains, j'ai une affection particulière pour Philippe Claudel et Jean Echenoz...

Il avale une gorgée de whisky et change de sujet :

– J'hésite encore sur le lieu où je devrais vivre : Londres? Manhattan? Montréal? Le Maine? Je n'en sais rien, à vrai dire. Ces lieux représentent des «morceaux» de mon existence, et si je suis devenu écrivain c'est sans doute pour les rassembler. Moi j'aime cette incertitude du lieu de résidence, on peut d'ailleurs la ressentir dans mes livres : les personnages sont le plus souvent en déplacement ou en conflit avec leur territoire d'origine...

Il me confie combien il est fier d'être né à New York, à Manhattan où, gamin, il errait dans les rues du quartier de l'Upper West Side et découvrait avec ses camarades les secrets de Central Park ou du fleuve Hudson qui délimite les États de New York et du New Jersey.

– Tu sais, dans *L'attrape-cœur* de Salinger le héros Holden Caulfield se demande où vont les canards de Central Park quand vient la neige... Eh bien, nous autres gamins de Manhattan, nous le savions !

Plus qu'intrigué, je rétorque :

– Où vont-ils alors ?

Il éclate de rire :

– Non, je ne peux pas te le dire parce que tu n'es pas né à Manhattan, et c'est peut-être le dernier secret que nous préservons jalousement. Allez, buvons à la santé de ces oiseaux aquatiques de Central Park...

*

L'éloignement de son lieu de naissance, Douglas allait le connaître très tôt, à l'âge de dix-neuf ans, au moment où il quitte New York pour entrer au Trinity College de Dublin. Mais il semble déjà regretter profondément sa ville d'origine. Il la regagne très vite et travaille comme régisseur dans plusieurs petits théâtres de Broadway. Cette expérience lui sera fort utile quand il repartira de nouveau pour Dublin où il sera promu administrateur d'une branche du National Theatre of Ireland. C'est pendant cette période qu'il commence à écrire, à proposer des pièces de théâtre aux radios, notamment à la BBC qui en diffusera certaines. L'écriture prenant de plus en plus le dessus, il démissionne de son poste d'administrateur où il était resté de 1978 à 1983. Même aujourd'hui, il n'éprouve pas de remords :

– Oh, tu sais, c'est le genre de folies qu'on ne s'explique pas. On fonce les yeux fermés, j'étais jeune et ambitieux ! Comme dirait Beckett, «Je n'étais bon qu'à ça », et j'avais accepté l'idée de ne faire que « ça » : être un écrivain à plein temps, quitte à avoir des difficultés à joindre les deux bouts du mois !

Il choisit de se lancer dans le journalisme et signe des chroniques à l'*Irish Times*. Cette nouvelle activité ne gêne pas sa passion pour l'écriture. Au contraire, elle la complète, voire la nourrit et lui permet de supporter les échecs cuisants de ses pièces de théâtre boudées par le public et les critiques. Une longue traversée du désert s'ensuit lorsque l'*Irish Times* lui ferme ses portes alors que sa carrière de journaliste commençait à bien décoller. Dublin lui semble alors un lieu presque maudit qui lui rappelle ses débuts catastrophiques de dramaturge et qu'il faut quitter le plus vite possible. Il a un projet en tête, plus vaste et plus palpitant : écrire un récit de voyage. Où se déroulerait-il ? En Égypte. Il parvient à convaincre un agent littéraire qui lui débourse une modique avance.

Le rayonnement international de Douglas viendra avec sa deuxième fiction *L'homme qui voulait vivre sa vie* (1997), une œuvre qui dévoile la nouvelle facette d'un univers dorénavant orienté vers le thriller psychologique – une influence de son maître Graham Greene. Dans ce roman l'Amérique est au banc des accusés, avec son mode de vie, ses habitudes de consommation et sa culture de la réussite qui pousse parfois à employer tous les moyens pour atteindre les sommets. Le héros Ben Bradford, photographe dans l'âme, se lance dans le monde féroce de Wall Street. Dans un pays où tout se juge par le poste qu'on occupe, le compte en banque, un mariage parfait, une descendance à élever, des villas somptueuses et des voitures luxueuses, Ben Bradford doit faire face à un adultère, et le meurtre n'est pas loin, de même que le changement d'identité et la fuite éperdue dans le dessein de vivre malgré tout une autre vie...

L'auteur américain est aussitôt « adopté » par la France où, en 2010, *L'homme qui voulait vivre sa vie* est porté à l'écran par Éric Lartigau avec comme acteurs, entre autres, Romain Duris, Catherine Deneuve et Niels Arestrup. Le chevalier des Arts et des Lettres fera désormais partie, avec Paul Auster, des auteurs américains « francophiles » les plus connus et les plus lus en France.

Il garde en mémoire que c'est la France qui fit connaître au monde ses illustres compatriotes, tels William Faulkner, Chester Himes et James Baldwin. Et il ne boude d'ailleurs pas les avantages de cette ouverture du milieu littéraire français :

– C'est le rêve de tout écrivain américain, j'allais dire anglophone. La France reste l'unité de mesure de la littérature, voire de la culture. Il n'y a pas au monde une excitation équivalente à celle qu'on remarque là-bas au moment de la rentrée littéraire et de la remise des prix d'automne. Je comprends donc Woody Allen lorsqu'il affirme, certes avec humour, qu'il fait ses films pour le public français, pas américain. Sais-tu que je suis plus lu en France qu'en Amérique...?

S'est-il été offusqué lorsque le magazine *Time* estima qu'il était «l'écrivain américain le plus célèbre dont les lecteurs américains n'avaient jamais entendu parler»? Compliments ou dérision? En tout cas, son succès en France sera confirmé par ses œuvres ultérieures, *Les désarrois de Ned Allen* (1998), *La poursuite du bonheur* (1981), *Rien ne va plus* (2002) et *Une relation dangereuse* (2003), entre autres...

Douglas a beau parcourir le monde avec son air jovial de celui qui s'émeut devant chaque paysage, c'est en réalité l'Amérique qui le hante. Il arrive qu'il la croise dans un endroit inattendu, comme ici au Churchill où, avant-hier, avec le romancier belge Vincent Engel qui nous avait rejoints, nous écoutions une chanteuse interpréter des titres de Dolly Parton, Marvin Gaye ou le prodigieux Sam Cooke retrouvé mort à trente-trois ans dans un motel californien.

– Les circonstances de son décès n'ont jamais été élucidées. Trente-trois ans, c'est l'âge de la mort du Christ, nous précisa Douglas.

Cette voix qui passait avec virtuosité des accents les plus aigus aux intonations les plus basses nous incita à nous taire pendant plus d'une demi-heure. Je crus un moment que Douglas allait verser des larmes. À la fin de la première partie du spectacle, peut-être parce que nous étions parmi ceux qui avaient le plus applaudi, la chanteuse vint nous saluer et nous apprit qu'elle était née en Californie, que quelques mois plus tôt elle vivait encore à Las Vegas où elle se produisait dans certains établissements ayant pignon sur rue. C'était une jeune Noire américaine, et c'était la première fois que j'entendais Douglas parler enfin en anglais. Il lui demanda son âge.

– Trente-trois ans, pourquoi? répondit-elle naturellement.

Il y eut un silence, et je lus sur le visage de Douglas qu'il regrettait d'avoir posé cette question...

Sitôt que la fille retourna vers le pianiste, il nous souffla :

– C'est vraiment étrange! Qui est cette chanteuse? Pourquoi a-t-elle quitté les États-Unis pour venir chanter ici à Marrakech devant à peine une vingtaine de clients? Et ce pianiste qui l'accompagne, qui est-il? Où se sont-ils connus?

Je me contentai de lui répondre :

– Il vaut peut-être mieux ne pas le savoir. Je parie que tu viens de dénicher le sujet de ton prochain roman sur un plateau d'argent!

– C'est ça, tu ne veux pas que je l'intitule *Sur un plateau d'argent*? plaisanta-t-il...

*

Le bar ferme dans une demi-heure.

Douglas se lève d'un bond et me souhaite une bonne nuit :

Marrakech

– Je dois y aller, j'ai un peu de retard : je n'ai pas fini d'écrire les mille mots que je m'impose par jour...

Il s'arrête au comptoir, signe l'addition, se retourne pour me saluer de loin. Une façon de me signifier que, le lendemain soir, nous nous retrouverons au même endroit, à la même heure, et que nous nous exprimerons en français, bien entendu...

DAKAR

> *« Il faut chercher le futur, mais dans la tradition. »*
>
> Aminata Sow Fall

Le jour de la mort de l'écrivaine sud-africaine Nadine Gordimer, un journaliste congolais se réclamant fièrement d'un « futur grand hebdomadaire de la communauté noire » m'appela de France.

Après quelques formules de politesse, il alla droit au but :

– En fait, comme vous le savez, la seule lauréate africaine du Nobel de littérature, c'était Nadine Gordimer, mais elle était blanche...

Ne voyant pas où il voulait en venir, je le coupai :

– En quoi sa couleur la priverait d'être africaine ?

– Ah non, se défendit-il, je voudrais en fait savoir ce que vous, en tant qu'auteur africain, pensez de la littérature féminine d'Afrique noire francophone après la mort de cette grande dame africaine, même si elle était blanche...

Je décidai de gommer ses références à la couleur de peau, sa vision essentiellement «noire» de l'Afrique et de répondre à ses questions.

Après une vingtaine de minutes, l'entretien prit même les allures d'un interrogatoire dans un commissariat de police du Congo. Je citais des noms d'écrivaines, je donnais des dates, les répétais, il me disait de ne pas «trop aller vite» parce qu'il prenait également des notes. Puis, il m'interrompait pour s'étonner que telle femme ou telle autre ne soit pas mentionnée alors que «la pauvre» avait publié un recueil de poèmes «très bien» et se dévouait corps et âme pour les enfants déshérités de son pays.

– Pourquoi vous ne la citez pas, cette poétesse, hein? Est-ce que vous êtes contre elle ou c'est encore une histoire de jalousie entre vous, les écrivains?

Je lui fis comprendre que la littérature n'avait pas à attendre que nous reconnaissions son existence à travers les actions, les bons sentiments ou la dévotion des auteurs pour une cause, fût-elle la plus noble au monde. Il fut choqué lorsque j'avançai qu'il y avait dans l'histoire des Belles-Lettres des «salauds», des ingrats ou des misanthropes qui étaient néanmoins des génies littéraires.

Après presque une demi-heure je pressentai qu'il n'avait pas obtenu ce qu'il recherchait, et mes digressions accroissaient de plus en plus son impatience.

Avant de boucler l'entretien qui, à ses dires, «paraîtrait ce mois si tout se passait bien avec les sponsors», il voulut savoir celle qui était, selon moi, la plus grande romancière d'Afrique noire francophone contemporaine.

– Donnez-moi un nom, un seul nom...

Mais je décidai de le «balader». Je pris le temps de souligner combien la présence des femmes dans l'espace littéraire d'Afrique noire francophone ne remontait qu'à 1975, année où la militante et femme politique malienne Aoua Keïta publia *Femme d'Afrique*. Elle retraçait son itinéraire de sage-femme et de militante vue d'un mauvais œil par l'administration coloniale et par les «anciens» de son village soucieux de préserver leurs intérêts. Première femme élue à la députation au Mali, elle avait été une figure proéminente de la lutte pour l'indépendance de son pays et une voix incontournable du féminisme dans le continent. Pour autant, nuançais-je, je la plaçais plutôt dans la catégorie des «pionnières du féminisme africain» et non dans celle des auteurs ayant influencé les Lettres africaines par l'originalité de leur écriture ou de leur univers – son «œuvre», au demeurant, n'était constituée que de cette autobiographie qu'il faudra lire comme un document marquant l'éveil des revendications des droits de la femme dans les sociétés africaines.

Dans le même sens, poursuivais-je alors que j'entendais le journaliste se débattre avec son appareil d'enregistrement, la parution en 1978 de *La parole aux négresses* de la Sénégalaise Awa Thiam – préfacé par Benoîte Groult – avait consolidé la voie du «témoignage» dans les écrits des femmes, cette fois-ci avec du «concret»: les vraies paroles de celles qui avaient subi des injustices et des humiliations physiques ou morales. *La parole aux négresses* pointait du doigt la clitoridectomie, l'infibulation et la multitude de ces pratiques ancestrales dont on reprochait aux plumes masculines africaines de ne les avoir jamais abordées dans leurs œuvres. Awa Thiam avait voulu marquer les esprits : proposer à Benoîte Groult de préfacer l'ouvrage n'était pas une initiative anodine. À cette époque la journaliste et écrivaine française venait de publier *Ainsi soit-elle* chez Grasset, un essai sur la condition féminine dont l'écho retentissait jusque dans le continent noir. Groult mettait les hommes devant un miroir :

> «Les hommes ont toujours été ravis quand nous étions capricieuses, coquettes, jalouses, possessives, vénales, frivoles... excellents défauts, soigneusement encouragés parce que rassurants pour eux. Mais que ces créatures-là se mettent à penser, à vivre en dehors des rails, c'est la fin d'un équilibre, c'est la faute inexpiable.»

Awa Thiam vit en cette «sœur européenne révoltée» son modèle, voire celle qui pourrait être le relais de la cause des femmes africaines à l'extérieur du continent. Après tout, les auteurs masculins n'avaient-ils pas procédé de la sorte lorsqu'ils lancèrent le mouvement de la négritude ? Ils s'étaient en effet appuyés sur les intellectuels français les plus influents de l'époque pour «mondialiser» leur cause, et c'est ainsi que Jean-Paul Sartre préfaça le livre de Léopold Sédar Senghor, *Nouvelle anthologie de la poésie nègre et malgache* tandis qu'André Breton se chargeait de la postface du *Cahier d'un retour au pays natal* d'Aimé Césaire et Robert Desnos de *Pigments Névralgies* de Léon-Gontran Damas...

Au fond *La parole aux négresses* de Thiam sensibilisait l'opinion publique sur les souffrances des femmes de l'Afrique de l'Ouest qu'elle avait interviewées à l'issue d'une enquête dans les différentes couches sociales, comme il sera rappelé dans la présentation de l'ouvrage :

« Longtemps les Négresses se sont tues. Il est temps qu'elles redécouvrent leur voix, qu'elles prennent ou reprennent la parole, ne serait-ce que pour dire qu'elles existent, qu'elles sont des êtres humains et qu'en tant que tels, elles ont droit à la liberté, au respect, à la dignité [...] Car pour la première fois des femmes du Mali, du Sénégal, de la Côte d'Ivoire, de Guinée, du Nigéria ont accepté de parler en toute liberté et avec une sincérité bouleversante... »

– Si je comprends bien, pour vous, cette grande romancière n'est ni Aoua Keita, ni Awa Thiam ? me coupa le journaliste.

J'observai un bref silence puis lui expliquai que, de mon point de vue, l'année 1979 fut celle de l'éclosion de deux romancières importantes qui imposèrent une réelle présence féminine dans la littérature d'Afrique noire francophone : les Sénégalaises Mariama Bâ et Aminata Sow Fall. La première, née en 1929 et morte en 1981, publiera *Une si longue lettre* (1979), « roman épistolaire » dans lequel son personnage, Ramatoulaye, à la suite de la mort de son mari, dresse le bilan d'une existence de femme de polygame. La narratrice a été la première épouse du défunt et, pendant les quarante jours de deuil imposés par la tradition, elle adresse une missive à son amie Aïssatou qui, elle, réside aux États-Unis. Au fur et à mesure, dans cette correspondance traversée par l'émotion et l'exaspération, le lecteur entre dans le calvaire de la femme africaine, ici exploitée et humiliée au moment de la disparition de l'être aimé.

211

Mariama Bâ reste certes sur le terrain du féminisme, mais à la différence de ses collègues et devancières Aoua Keïta et Awa Thiam, elle signe une œuvre littéraire ambitieuse dont la forme témoigne d'un souci «stylistique» qui allait lui valoir le prix Noma pendant la Foire du livre de Francfort en 1980. Non seulement le lecteur entre dans la vie quotidienne de Ramatoulaye, l'expéditrice de la missive, mais il cerne également les inquiétudes de la destinataire Aïssatou. Entre les deux femmes la complicité est évidente, et elle date de leur enfance lorsqu'elles se disaient déjà tout, rêvaient du prince charmant et d'un mariage heureux. Au-delà, le roman fourmille de personnages féminins qui doivent lutter continuellement contre les traditions et la domination des hommes. Enfin, *Une si longue lettre* a la particularité – à la différence de *Femme d'Afrique* ou de *La parole aux négresses* – de ne pas être une œuvre autobiographique. Mariama Bâ a été élevée dans la tradition musulmane par sa grand-mère à la suite de la mort de sa mère. Dans les années 1950 son père fut nommé ministre de la Santé dans ce qui était alors le premier gouvernement sénégalais. Elle fréquente l'école française, obtient son baccalauréat à l'âge de quatorze ans. Plus tard, elle sera diplômée de l'École normale des jeunes filles de Rufisque et sera institutrice pendant une dizaine d'années avant de demander un poste dans l'administration pour des raisons de santé. Celle qui, dans sa fiction, entreprend un procès implacable contre la polygamie réclame sans cesse son indépendance alors que, dans la société ultratraditionnelle dans laquelle elle vivait, le divorce était un mot imprononçable. Mais elle divorcera trois fois, et c'est sans doute de ce côté qu'on pourrait déceler des éléments «autobiographiques» du livre – en particulier à travers les passages où Ramatoulaye rappelle son passé et ses différents mariages.

– C'est Mariama Bâ, votre plus grande romancière francophone d'Afrique noire !

Sans lui répondre, j'enchaînai sur Aminata Sow Fall qui publia en 1976 un premier roman intitulé *Le revenant*. Sow Fall apporte d'emblée un regard éloigné de celui de la plupart de ses consœurs qui ne traitaient en général que de la condition féminine, de l'excision, de la polygamie, de la dot, de la stérilité, etc. Elle privilégie le «citoyen narrateur» au détriment du personnage principal féministe et moralisateur. Dans *Le revenant*, elle choisit un personnage principal masculin, Bakar, confronté à la bourgeoisie sénégalaise naissante. Malgré sa volonté, son ambition et son intégrité, Bakar tombe dans le piège d'une prétendue modernité incarnée par notre société de consommation qui efface peu à peu nos valeurs. Et c'est cette société impitoyable qui pousse l'intègre Bakar à détourner de l'argent et à connaître une déchéance dont il ne pourrait se tirer qu'en se jouant des traditions : faire croire à ses propres funérailles afin de récolter le *sarax*, la somme d'argent que les familles éprouvées reçoivent en signe de compassion du voisinage, des amis ou des proches.

Ce qui importe à Sow Fall, c'est cette critique des déviations nées avec les indépendances africaines. Elle ne légitime pas cependant la colonisation, encore moins le recours aveugle au passé, elle pointe plutôt du doigt la folie de nouveaux gouvernants, les Africains eux-mêmes, qui cèdent trop vite à la tentation d'une occidentalisation radicale. Ses personnages sont les victimes de cette confrontation, comme ces mendiants des quartiers de Dakar qui tendent un bol, le *bàttu*, dans lequel les passants, par générosité et par respect de la tradition, leur jettent une ou deux pièces. Par son art de la satire et de l'humour noir, Sow Fall nous offre une vision socioréaliste plus large de l'Afrique postcoloniale et nous rappelle qu'il n'y a pas une incompatibilité entre les traditions et le monde moderne :

> « J'ai vécu dans une maison où la tradition était là et c'est là que j'ai appris à être moderne, sans qu'on en parle, parce qu'il faut aussi être dans son temps. Il faut chercher le futur, mais dans la tradition[1]. »

Son roman le plus connu, *La grève des bàttu* (1979) pourrait, dans une certaine mesure, même si l'auteure s'en défend souvent, être lu comme une charge contre la politique menée par le président-poète Léopold Sédar Senghor qui avait décidé, dans les années 1970, pour la « bonne image du pays », de traquer les mendiants des rues de Dakar. Senghor, pourtant perçu comme le chantre de « l'humanisme », ne pouvait ignorer l'importance de ces « damnés de la terre » dans les coutumes sénégalaises, voire ouest-africaines. Ils sont le lien entre le peuple et Allah, et c'est par le biais de ces marginaux qu'on reçoit la bénédiction divine, la fortune dans les affaires, et même l'avancement dans sa carrière professionnelle. Qu'est-ce qui romprait cet

---

1. Ada Ozoamaka Azodo, *Entretien avec Aminata Sow Fall*, Indiana University Northwest, 14 mars 2005.

équilibre sinon l'appât du gain de tous ces nouveaux dirigeants africains?

Dans un autre roman, *L'appel des arènes* (1982), Sow Fall revisite la question de l'aliénation culturelle déjà traitée par ses collègues et compatriotes masculins – notamment Abdoulaye Sadji dans *Maïmouna* (1953) ou encore dans *Nini, mulâtresse du Sénégal* (1954) et Cheikh Hamidou Kane dans *L'aventure ambiguë* (1961). Ces prédécesseurs de Sow Fall illustraient combien le «progrès» imposé par la colonisation dépersonnalisait l'Africain, l'éloignait du langage avec les ancêtres. Les personnages de ces «aînés» sont pour la plupart aliénés par la civilisation occidentale – et la tragédie n'est pas loin, notamment avec la mort de Samba Diallo, héros de *L'aventure ambiguë* qui aura fréquenté l'école coranique et celle des Blancs où l'on apprenait «l'art de vaincre sans avoir raison». Sow Fall renverse cependant les choses dans *L'appel des arènes*, mettant en scène l'éclatement d'une famille sénégalaise dont les parents, très occidentalisés et ayant fait des études en Europe, souhaiteraient imposer à leur fils une éducation à l'occidentale, loin des «gens grossiers qui n'ont aucune civilisation». L'enfant est plutôt tenté par les «arènes» de la lutte sénégalaise, sport à la fois traditionnel, «mystique» et lucratif qui apprend à son adepte le courage et l'héroïsme.

En 1987 elle publiera *L'ex-Père de la nation* (1987), et beaucoup pensèrent – certainement à cause du titre – que le roman était de nouveau une critique contre le président-poète Léopold Sédar Senghor qui avait démissionné dix ans plus tôt de la plus haute fonction du pays pour pouvoir «se consacrer entièrement à la poésie» et à ses activités d'Académicien français – il fut le premier Noir à siéger sous la Coupole. Un tel rapprochement avec Senghor et sa politique n'était pas à écarter : dans le roman de Sow Fall il s'agissait aussi d'un président très « idéaliste », un homme de cœur devenu président de la République et qui est confronté aux réalités socio-économiques de son pays. Et on sait combien Senghor était souvent taxé d'être un « poète-président » et non un « président–poète »...

Si Sow Fall n'est pas opposée au recours systématique au passé, c'est parce qu'elle s'en méfie tout de même, comme dans *Le jujubier du Patriarche* (1993), lorsque ce passé n'aboutit pas à une renaissance des sociétés africaines, le monde se rapprochant de plus en plus avec les moyens de communication et la mobilité des populations. Soucieuse de ces métamorphoses, c'est dans *Les douceurs du bercail* (1998) qu'elle évoquera la difficulté de l'émigration à travers la figure d'une femme divorcée qui se rend en Europe pour participer à une conférence sur l'ordre économique et social. Une expérience que l'héroïne convoquera pour sensibiliser ses compatriotes, une fois de retour au pays.

Quasiment méconnue du lectorat français, et pourtant étudiée en Afrique et dans les universités américaines comme sa collègue Mariama Bâ, Sow Fall s'est fait connaître dans l'espace francophone avec *La grève des bàttu*, roman devenu un classique de littérature africaine.

En 1979, ce livre fut remarqué par la sélection du prix Goncourt – une première pour un roman publié en Afrique – et recevra le Grand Prix littéraire de l'Afrique noire avant d'être porté à l'écran en 2000 par un des célèbres cinéastes du continent noir, le Malien Cheick Oumar Sissoko. Un autre de ses romans, *L'appel des arènes*, fut adapté en 2006 par le Sénégalais Cheikh Ndiaye qui signait au passage sa toute première réalisation cinématographique...

Sans complexe, loin des débats de ses collègues dont certains déclarent être d'abord « écrivains », puis « africains », quand ils ne souhaitent pas être des « écrivains tout court », Sow Fall ne s'offusque pas d'être « cataloguée » dans la littérature africaine qu'elle ne considère pas comme un ghetto :

> « Tout universel part d'un endroit précis. La grève des bàttu a été traduit en chinois. Je ne suis pas étonnée que des Chinois, des êtres humains où qu'ils se trouvent, prennent un livre qui est à 10 000 lieues de leurs préoccupations, et s'y retrouvent. Toute œuvre littéraire, artistique a une vision d'éternité. Comment échapper à la destruction par la création artistique ? Même lorsque l'auteur ne pose pas le problème, ce sont ces problèmes qui ressortent. Regardez tout ce que Mariama Bâ a écrit sur la polygamie. Toutes les femmes, toutes les personnes qui ont lu son livre ne connaissent pas ces problèmes. Mais ce qu'elles ont perçu, c'est la souffrance, c'est la condition humaine, le destin de l'être humain dans ses aspirations, dans ses oppressions, dans ses questionnements, ses émotions... La littérature africaine est universelle[1]. »

– C'est donc Aminata Sow Fall, votre plus grande romancière africaine francophone !

Le journaliste semblait se délecter de m'avoir enfin tiré les vers du nez. Avant de raccrocher, je lui demandai

---

1. Interview accordée à Edwige H., *Africultures*, 26 septembre 2005.

pourquoi il tenait tant à ce que je lui donne le nom de ma
« grande romancière africaine ».

– Eh bien, parce que c'est elle que nous mettrons en
couverture de ce premier numéro de notre hebdo...

Une année plus tard, se vantant de « l'écho retentissant »
qu'avait eu son article, le journaliste revint vers moi pour
m'annoncer qu'il préparait un autre dossier sur « le plus
grand romancier africain ». Je déclinai de participer à sa
nouvelle entreprise, et je l'entendis bredouiller au téléphone, sans doute à quelqu'un qui était à ses côtés :

– Il refuse l'interview ! C'est parce qu'il est un peu jaloux
de ses confrères...

MADAGASCAR

> *« Les beaux vers obscurs m'ont toujours attiré –*
> *surtout si, dans leur hermétisme, un sens profond*
> *est caché. »*
>
> Jean-Joseph Rabearivelo

> *« Devenir de plus en plus français tout en*
> *restant profondément malgache. »*
>
> Jacques Rabemananjara

Considéré comme « le deuxième poète » dans sa patrie d'origine où son prédécesseur Jean-Joseph Rabearivelo est tenu pour le plus grand auteur malgache de tous les temps ; occulté sur le plan international par le rayonnement de Césaire, Senghor et Léon-Gontran Damas – « les trois mousquetaires » initiateurs du mouvement de la négritude –, Jacques Rabemananjara est malgré cela l'une des voix majeures et originales de la poésie africaine d'expression française. Son œuvre, traversée dès les années 1940 par ce que j'appellerais une « colère généreuse », apporta aux Lettres africaines une touche «indianocéanique» nécessaire à une conception très éclatée du «monde noir» qui, avec Rabemananjara, ne se réduisait plus uniquement à l'espace continental, mais prenait en compte ce que certains désignaient alors comme les «Afriques insulaires».

Rabemananjara a souvent aussi été qualifié de «quatrième mousquetaire de la négritude». J'y vois plutôt un compliment puisque dans *Les trois mousquetaires* d'Alexandre Dumas, malgré le titre trompeur du roman, on comptait bien quatre héros, dont d'Artagnan le plus jeune, le plus audacieux, le plus fougueux qui rejoignit le régiment des mousquetaires du roi Louis XIII et se lia d'amitié avec Athos, Porthos et Aramis. «Un pour tous, tous pour un» devint la devise de ces quatre fantassins, protagonistes d'un des romans de cape et d'épée les plus connus au monde.

Rabemananjara fut à la fois un observateur et un acteur de ce mouvement culturel lancé à Paris dans l'entre-deux-guerres et dont on n'attribue l'entière paternité qu'au fameux trio Césaire-Senghor-Damas. L'écrivain malgache était présent au Premier Congrès des écrivains et artistes noirs organisé par la revue *Présence Africaine* en 1956, à la Sorbonne. En sa qualité de rapporteur, il fut le tout premier à prendre la parole et laissa à la postérité sa fameuse formule «Nous sommes des voleurs de langue», un éloge d'une langue française qui n'appartenait plus exclusivement à la métropole parce que :

«nous nous sommes emparés d'elle, nous nous la sommes appropriée, au point de la revendiquer nôtre au même titre que ses détenteurs de droit divin [...] Notre Congrès, à la vérité, c'est le Congrès des voleurs de langue. Ce délit, au moins, nous l'avons commis! Dérober à nos maîtres leur trésor d'identité, le moteur de leur pensée, la clé d'or de leur âme, le sésame magique qui nous ouvre toute grande la porte de leurs mystères, de la caverne interdite où ils ont entassé les butins volés à nos pères et dont nous avons à leur demander des comptes».

Et Rabemananjara de conclure :

«La vérité est que nous parlons malgache, wolof, arabe, bantou dans la langue de nos maîtres[1].»

Issu des familles royales de l'île aussi bien par sa mère que par son père, Rabemananjara entreprend des études au séminaire, encouragé par un missionnaire français. C'est dans cet univers pour le moins austère qu'il découvre peu à peu les grands auteurs de la littérature française et commence à écrire ses premiers textes. Il ne devient pas pour autant prêtre mais entre à vingt-deux ans dans l'administration coloniale française où il mobilise ses collègues de la fonction publique sur la lutte à mener au jour le jour pour leurs droits. Il lance la *Revue des jeunes de Madagascar*, une publication «trop nationaliste» au goût des autorités coloniales qui en interdisent la diffusion après quelques numéros. Rabemananjara aura au moins publié dans

---

1. Jacques Rabemanjara, «L'Europe et nous», actes du Premier Congrès international des écrivains et artistes noirs, *Présence Africaine* (n⁰ˢ 8-10, juin-novembre 1956).

cette revue, en cette année 1935, deux de ses premiers écrits, *L'éventail des rêves* et *Aux confins de la nuit*.

Il a vingt-six ans lorsqu'il est choisi parmi les membres de la délégation malgache qui se rendrait en France pour les festivités du 150ᵉ anniversaire de la Révolution française. Il ne revient pas au pays, s'inscrit plutôt à La Sorbonne où il suit des études de Lettres classiques.

Pendant ce temps, en cette fin des années 1930, les débats sur la «conscience noire» ou la «renaissance africaine» occupent les esprits de jeunes intellectuels africains installés pour la plupart à Paris. Et c'est dans cette ville qu'il croise Léopold Sédar Senghor, Aimé Césaire et Léon-Gontran Damas...

1937 est une année sombre pour son pays : le «grand auteur malgache de tous les temps» Jean-Joseph Rabearivelo se donne la mort à l'âge de trente-six ans. Rabemananjara est «naturellement» perçu comme son «successeur». Un statut qui n'est pas usurpé puisque le défunt, dans son volumineux et mythique journal intime, *Les calepins bleus*, le désigne comme son exécuteur testamentaire et lui transmet le relais en des termes on ne peut plus clairs :

«Je te passe le flambeau, tiens-le bien haut[1].»

Frappé par la disparition de sa fille, opiomane, endetté jusqu'au cou et rêvant d'une gloire littéraire internationale

---

1. Jean-Joseph Rabearivelo, *Œuvres complètes, Tome 1 : Le diariste (Les Calepins bleus), L'épistolier, Le Moraliste*, CNRS Éditions, 2010.

qui tardait à venir – ou dont il pressentait qu'elle n'arriverait jamais malgré la parution de certains de ses textes dans les revues *NRF, Cahiers du Sud* ou *Mercure de France* –, Rabearivelo se tournera de plus en plus vers une poésie marquée par l'ombre persistante de la mort comme dans *Sylves* ou *La coupe de cendres*. Une certaine folie des grandeurs l'habite car il est lui-même conscient de son talent :

> «J'aurai ma légende. Une légende qui sera à souhait grossie et, à souhait aussi, à grands coups d'érudition, ramenée à ses justes proportions...»

Ce qui fascina Rabemananjara, chez Jean-Joseph Rabearivelo, c'était sa capacité à se démarquer très vite du courant symboliste et de s'appuyer sur la forme poétique malgache traditionnelle en langue hova, notamment dans les recueils *Presque songes* et *Traduits de la nuit*, ses deux chefs-d'œuvre. Jean-Jacques Rabearivelo, qui aura eu une grande influence littéraire sur Rabemananjara, écrivait avec la «même aisance» et le «même génie» en malgache et en français. À la lecture de ses textes on comprend vite qu'il est persuadé que sa mort surviendra tôt, de façon violente, et il la prépare. Il note dans ses *Calepins bleus*, avec une précision d'entomologiste, ses derniers instants sur terre, avant d'avaler du cyanure en ce 22 juin 1937. Le ton est celui d'un adieu, comme en témoignent ces vers prémonitoires :

> À l'âge de Guérin, à l'âge de Deubel
> un peu plus vieux que toi, Rimbaud anté-néant,
> parce que cette vie est pour nous trop rebelle
> et parce que l'abeille a tari tout pollen

Si ces *Calepins bleus* se caractérisent par une noirceur absolue, ils restent toutefois une entreprise colossale et ambitieuse dans laquelle l'auteur revendique une esthétique de l'hermétisme :

> « On ne me comprendra pas, à moins d'être féru en cabales malgaches. Mais je m'en fiche. Les beaux vers obscurs m'ont toujours attiré – surtout si, dans leur hermétisme, un sens profond est caché... »

Jean-Jacques Rabearivelo parle de littérature avec une boulimie inouïe. Mallarmé, Nerval, Rilke, Verlaine, Gide ou Valéry Larbaud accompagnent le désespéré, et c'est à une promenade littéraire intemporelle qu'il nous invite :

> « Ne point avoir le plaisir de constater, une fois de plus, que de Baudelaire on peut parfaitement dire, comme de Goethe, qu'aucune chose de cette pauvre et mystérieuse terre, ne lui était étrangère, et qu'en bien étudiant l'œuvre de l'un et de l'autre, on ne peut qu'être frappé par l'universalité de leurs deux génies complets... »

Jean-Joseph Rabearivelo tirera sa révérence, non sans avoir essuyé une dernière humiliation deux jours avant sa mort : le refus de l'administration malgache de lui octroyer « n'importe quel poste stable » qu'il réclamait depuis un moment face à sa situation matérielle qui empirait au jour le jour.

En transmettant le relais à Rabemananjara, il ne fit pas un geste anodin. L'œuvre de ce dernier poursuivait l'enracinement malgache que revendiquait le défunt. « Devenir de plus en plus français tout en restant profondément malgache», telle sera la devise de Rabemananjara. En France sa flamme nationaliste est attisée au contact des confrères de la négritude. Il s'éloigne progressivement de son inspiration très (ou trop) classique et de sa fascination pour l'œuvre de Jean-Jacques Rabearivelo. Sa dépendance à la poésie classique dans *Sur les marches du soir* (1942) ou dans son drame en alexandrins, *Dieux malgaches* (1947), s'amoindrit ou disparaît dans *Lamba* (1956) et *Antidote* (1961). Ces derniers sont des textes «circonstanciés» et écrits dans les années 1940 pendant sa période de captivité, comme nous verrons plus loin. Ils seront préfacés par Césaire lors de leur réédition en 1961. Dans ces recueils, son ardeur patriotique éclate au grand jour, avec pour leitmotiv l'amour de cette île natale dont il ne supporte pas la désacralisation orchestrée par les «traîtres» à la tête du pouvoir. Il faut en appeler aux ancêtres, aux premiers habitants de l'île, et il les convoque dans la pièce de théâtre *Les boutriers de l'aurore*.

Il pense et voit l'île de Madagascar en femme aimée comme lorsqu'il notait dans *Antsa* :

> Je mords ta chair vierge et rouge
> avec l'âpre ferveur
> du mourant aux dents de lumière,
> Madagascar !

À l'instar de Césaire, de Damas, de Senghor et des intellectuels noirs de l'époque, Rabemananjara se lance dans l'arène politique, crée avec des amis depuis Paris le Mouvement démocratique de la rénovation malgache et arrive à décrocher un siège à l'Assemblée nationale. Il ne pourra l'occuper, car en cette année 1947 il se retrouve entre quatre murs, soupçonné d'être un des initiateurs de cette grande insurrection contre l'ordre colonial âprement réprimée par l'armée française. L'insurrection fit plusieurs milliers de morts dans l'île et fut perçue par beaucoup comme un des présages de la décolonisation de l'Afrique francophone.

Croyant vivre ses derniers instants sur terre avant son exécution, il commit hâtivement son recueil-phare *Antsa* dont on rapporte souvent qu'il aurait été écrit d'une seule traite et achevé en une seule nuit! Mythe ou réalité? Le résultat est toutefois là, et c'est l'un des plus beaux chants d'amour dédiés à son île :

> Je m'allongerai sur ton sein avec la fougue
> du plus ardent de tes amants...

La prison ne pouvait attiédir une colère qui s'apparentait au réveil d'un volcan embrasant tout sur son passage :

> Ici le cercle étroit de la prison
> éclate.
> Et les murs, et toutes les barrières,
> et toutes les consignes éclatent
> et la gueule des molochs,
> et la langue de toutes les vipères
> anachroniques...

Au-delà du testament politique qu'il léguait, il fallait y lire la préoccupation de l'auteur de communier et même de communiquer avec son peuple. Il reste derrière les barreaux pendant plus de huit ans et, après sa grâce en 1956, il repart en France où se déroule le premier Congrès des écrivains et artistes noirs. Pendant cet événement il fait sensation avec son discours sur les « voleurs de langue » évoqué plus haut.

Quatre années plus tard, il retourne enfin dans son pays désormais indépendant et participe à la Première République malgache. Il occupe entre autres les fonctions de ministre de l'Économie, puis des Affaires étrangères. Ces charges officielles ne l'éloignent pas de la littérature et du combat. Il n'oublie surtout pas le lourd flambeau que lui passa son « aîné » Rabearivelo, dont il préface en 1960 la réédition de *Presque songes*, avec des propos plus que bienveillants et qui devaient réjouir le disparu depuis l'autre monde :

> « C'est que dans sa ferveur régionaliste, Rabearivelo a pris soin de ne jamais tomber dans le borné ni l'étriqué du folklorisme : si sa passion de la terre merina enferme quelque peu ses créations et les situe dans des frontières précises, il a toujours su, par-delà les barrières, enrichir sa quête d'une chaleur humaine qui traverse et rompt les digues pour s'apparenter au rythme chaud des énergies cosmiques[1]. »

En 1972 on assiste au renversement du régime du président Philibert Tsiranana sous lequel Rabemananjara était devenu le troisième vice-président de la République. On reproche au président malgache son allégeance à l'égard

---

1. Jean-Joseph Rabearivelo, *Presque songes*, préface de Jacques Rabemananjara, Tananarive, Imprimerie officielle, 1960, p. 16.

de la France dont il apparaît comme le valet local. Une grève menée avec détermination par les étudiants soulève les populations et conduit le chef de l'État à jeter l'éponge. Rabemananjara revient une fois de plus à Paris où il restera jusqu'à sa mort, le 2 avril 2005, désabusé peut-être d'avoir été rejeté par son peuple, pour lequel il s'était sacrifié depuis sa jeunesse et qui, comble de l'ingratitude, ne le désignera pas comme président de la République...

À Paris, Rabemanjara rejoint certes sa «famille» – l'équipe des éditions Présence Africaine –, mais c'est un homme meurtri et silencieux qui suit de loin les turbulences sociopolitiques de son pays d'origine qu'il aurait bien voulu gouverner. La jeunesse le vénère, les écrivains francophones le portent aux nues, mais lui ne comprend pas que les Malgaches n'aient pas perçu l'authenticité de sa candidature, qu'ils ont considérée comme un des ultimes caprices d'un vieillard planqué en Europe.

Oui, il était trop vieux pour gouverner, disaient certains. Peut-être aurait-il voulu avoir l'âge et la fougue de Rabearivelo qui devait lui souhaiter la bienvenue dans l'autre monde...

La mort de Rabemananjara n'eut pas le même écho que celle de Léopold Sédar Senghor quatre ans plus tôt ou de Césaire, trois ans plus tard. Pour se consoler, quelques admirateurs de l'écrivain excusaient l'indifférence de la France en arguant que l'écrivain malgache était mal tombé : il était mort le même jour que le pape Jean-Paul II qui monopolisait de manière écrasante l'attention des médias...

Les auteurs africains de la nouvelle génération l'appelaient affectueusement «Vieux Rabe». C'est par l'amour qu'il dessinait Madagascar et, de ce fait, sa vision du monde était très proche de celle de Césaire. C'est avec ces deux poètes que la poésie africaine francophone était devenue une «arme miraculeuse», parce qu'ils l'avaient vécue, parce qu'ils l'avaient habitée, et surtout parce qu'ils ne vivaient que pour elle. *Antsa* et *Cahier d'un retour au pays natal* sont des recueils dans lesquels le cri, l'amour et la révolte face aux injustices se lisent même entre l'espace qui sépare deux mots, ou à travers les trois points de suspension.

Si on reconnaît que Jean-Jacques Rabearivelo est le «Rimbaud malgache», alors Rabemananjara est le «Césaire de la Grande Île», et il aura été l'un des plus grands artisans de la «malgachitude».

CONAKRY

CONAKRY

> *« Je ne pensais qu'à moi-même et puis, à mesure que j'écrivais, je me suis aperçu que je traçais un portrait de ma Haute-Guinée natale. »*
>
> Camara LAYE

« J'étais enfant et je jouais près de la case de mon père. »

Phrase en apparence d'une simplicité désarmante, elle charrie pourtant depuis des générations toute la richesse d'une enfance ouest-africaine à la fois réaliste, féerique et mystérieuse. Il s'agit de l'incipit de *L'enfant noir* (1953) du Guinéen Camara Laye, un des romans les plus connus, les plus lus, les plus étudiés et les plus traduits de la littérature d'Afrique noire contemporaine avec *Le monde s'effondre* (1958), le chef-d'œuvre du Nigérian Chinua Achebe.

Tout africain francophone reconnaîtra avoir déclamé à l'école cette première phrase du roman-culte de Laye. *L'enfant noir* « concurrençait » ainsi les *Fables* de La Fontaine, *Les contemplations* de Victor Hugo, *Le château de ma mère* de Marcel Pagnol et la plupart de ces classiques français au programme dans les établissements scolaires du continent africain.

Écoliers, nous découvrions enfin un roman écrit par un Africain et qui parlait de l'Afrique, avec des personnages tangibles qui nous ressemblaient. Je me souviens encore que jusqu'au collège nous continuions à croire que *L'enfant noir* était un livre «mystique», sans auteur, et qui nous était réellement raconté en secret par un gentil garçon de notre âge. Celui-ci était plus intelligent, évidemment, et nous décrivait, dans un français parfait que nous lui jalousions, les lieux de ses errances, la véranda de la concession familiale où il aimait s'installer, non loin de l'atelier de son père forgeron et orfèvre. C'est dans cette fabrique extraordinaire qui alimentait tant notre curiosité que le père du narrateur procédait à la fonte de l'or, un métal que nous ne connaissions que de nom. Dans *L'enfant noir*, ce travail était une communion avec les esprits :

> «L'opération qui se poursuivait sous mes yeux n'était une simple fusion d'or qu'en apparence ; c'était une fusion d'or, assurément c'était cela, mais c'était bien autre chose encore : une opération magique que les génies pouvaient accorder ou refuser ; et c'est pourquoi, autour de mon père, il y avait ce silence absolu et cette attente anxieuse...»

Plus loin, le narrateur précisera même que «l'artisan qui travaille de l'or doit se purifier au préalable, se laver complètement par conséquent et, bien entendu, s'abstenir, tout le temps de son travail, de rapports sexuels».

Le petit héros qui nous inspirait désormais avait vu le serpent noir, l'animal totem du clan des forgerons et qui se transmettait de père en fils. Ce qui signifiait qu'il aurait à faire un choix cornélien pour son futur : devenir forgeron comme son père et hériter de ce serpent noir ou poursuivre ses études à l'école française. Une véritable confrontation de deux mondes : celui des ancêtres incarné par ce totem et celui de la « modernité » occidentale échouée dans le continent noir avec la colonisation et présente par le biais de l'école. Le narrateur fréquentera l'école coranique, puis l'école française jusqu'au jour de son départ pour la France, avec « le plan du métro » qui gonflait sa poche. Une victoire de l'Occident sur les génies africains... ?

Récit au ton plutôt pondéré et serein, *L'enfant noir* fit malgré cela l'effet d'un pavé dans la mare dès l'année de sa publication au point de donner une nouvelle orientation aux Lettres africaines. Celles-ci étaient perçues en général sous l'angle de l'engagement, peut-être à cause de la conjoncture intellectuelle de l'époque que rappelle avec justesse le critique littéraire congolais Boniface Mongo Mboussa :

> « Remettons les choses dans leur contexte. La littérature négro-africaine s'affirme au moment même où la notion de l'engagement, inventée par Jean-Paul Sartre, domine la scène littéraire. Or, Sartre (on l'oublie souvent) est aussi l'un des théoriciens de notre littérature avec son texte mythique *Orphée noir*, préface à l'*Anthologie de la nouvelle poésie nègre et malgache.*

Il est probable que l'auteur de *La nausée* ait orienté notre propre regard sur notre littérature[1]...»

Alors que le public européen et les lecteurs du continent noir accueillirent de façon enthousiaste *L'enfant noir*, plusieurs confrères africains de Laye montèrent au créneau pour le clouer au pilori et dénoncer cette «littérature rose dans une Afrique noire[2]».

Si dans l'espace anglophone le Nigérian Chinua Achebe qualifia le roman de trop «sucré à son goût», le plus virulent des «procureurs» du monde francophone fut incontestablement l'écrivain camerounais Mongo Beti, connu à l'époque sous le pseudonyme d'Eza Boto. Beti, cadet de Laye de trois années et demie, venait de publier le roman *Ville cruelle* aux éditions Présence Africaine, juste un an après *L'enfant noir*. L'auteur camerounais est en phase avec le mouvement de la négritude : à la différence de Laye qui publie chez un grand éditeur français, Beti publie chez un «éditeur africain» installé à Paris, et dans *Ville cruelle* il entreprend sans intransigeance le procès des exactions coloniales, dénonce l'exploitation des autochtones par des commerçants grecs véreux et complices de l'administration coloniale. Il poursuit son combat contre le système colonial dans son deuxième roman *Le pauvre Christ de Bomba* (1956) où il s'attaque cette fois-ci au monde des missionnaires.

---

1. Boniface Mongo Mboussa, «Double flamme africaine», *Africultures*, 15 juin 2005.
2. Mongo Beti, «Afrique noire, littérature rose», *Présence Africaine*, n°s 1-2, avril-juillet 1955.

Tout oppose donc Beti à Laye, tant dans leur parcours respectif que dans leur vision de la littérature. Beti «pense» la littérature et lui affecte une fonction précise : la libération des peuples africains des chaînes de la domination coloniale. Laye, à l'opposé, «vit» la littérature comme un moyen de capter l'individu, la famille, et il cultive par conséquent l'émotion et refuse que son «je» soit collectif, abstrait et moralisateur.

En somme, Mongo Beti est alors considéré comme le parangon de l'intellectuel africain, dans la lignée de ses augustes aînés Césaire et Senghor : il a fréquenté la Sorbonne, a obtenu une agrégation en Lettres classiques et enseigne dans le secondaire en France. Laye, pour sa part, est plus «manuel» : après un CAP de mécanicien, il part étudier en Europe à l'École française d'ingénierie automobile et, à la fin de sa bourse, il fait des petits boulots à l'usine automobile Simca ou à la RATP, suit des cours du soir sur l'aéronautique et la construction automobile au Conservatoire national des arts et métiers à Paris. Lorsque la nuit tombe, pour se «consoler» de la nostalgie, il écrit, entame les premiers chapitres de *L'enfant noir*.

Il y avait par conséquent, comme qui dirait, une lutte de «classes» entre ces deux écrivains africains installés en France. Pour Beti, Laye ne restera au fond qu'un «pauvre autodidacte» et le Camerounais mettra même en doute la capacité de l'auteur guinéen à écrire un roman sans être «aidé[1]». Mais c'est pourtant le livre de Laye qui est célébré

---

1. *Mongo Beti parle : testament d'un esprit rebelle*, entretiens avec Ambroise Kom, Homnisphères, 2006.

et qui le place comme le grand romancier de l'époque. Le verdict du lecteur est souvent aussi impénétrable que les voies du Seigneur. Devant ce fait accompli, Beti ronge d'abord son frein, mais finit par craquer et rédiger un article incendiaire dans la revue *Présence Africaine*. Il reproche à Laye, à mots à peine couverts, de ne point être un auteur engagé, de ne pas ouvrir les yeux sur les aberrations du système colonial et de détourner «les Africains des leaders indépendantistes en les maintenant coûte que coûte dans les traditions rétrogrades[1]». L'attaque est plus précise lorsqu'il ajoute :

> «Laye ferme obstinément les yeux dans son roman *L'enfant noir* sur les réalités les plus cruciales. Ce Guinéen n'a-t-il donc rien vu d'autre qu'une Afrique paisible, belle, maternelle ?
> Est-il possible que pas une seule fois Laye n'avait été témoin d'une seule exaction de l'Administration coloniale française ?»

Devant l'ampleur de cette polémique, il était clair que Camara Laye était bien parti pour «rester». En 2006, lorsqu'il me fut demandé préfacer la réédition en grand format de *L'enfant noir*, je n'hésitai pas une seule seconde. Parce que la prose de cet écrivain qui maniait la langue française avec une rare élégance ne me faisait pas oublier que son existence n'était pas une sinécure. Emprisonné par le président-dictateur de son pays d'origine Sékou Touré dont il était un opposant farouche, «recueilli» en exil au Sénégal par Léopold Sédar Senghor, Laye aurait eu des leçons d'engagement à donner à ses antagonistes.

---

1. «Afrique noire, littérature rose», *op. cit.*

Son œuvre se démarquait radicalement de celles de ses contemporains si préoccupés par la lutte contre «l'ennemi» blanc qu'ils ne parlaient presque pas de l'Afrique quotidienne.

En écrivant ma préface plus de cinquante ans après la parution d'un roman que j'avais étudié à l'école, je ne perdais pas de vue que c'était *L'enfant noir* qui avait posé pour la première fois la question de l'indépendance de l'auteur africain. Je me rendis aussi compte que le jeune Laye ne s'attendait pas à figurer dans les annales de la littérature africaine, et c'était peut-être pour cela que son roman traversait les époques sans prendre une seule ride, contrairement aux textes de ses «adversaires» qu'il nous faudrait à tout instant contextualiser parce que trop «datés», trop «poussiéreux» et n'étant plus évoqués que comme des documents d'époque.

Laye doit sa pérennité au fait qu'il dessinait son pays à travers son propre destin et non en reproduisant des slogans et des mots d'ordre à la mode dans le milieu des intellectuels africains de ces années 1950 et du début des années 1960 :

> «Je ne pensais qu'à moi-même et puis, à mesure que j'écrivais, je me suis aperçu que je traçais un portrait de ma Haute-Guinée natale.»

Je pouvais imaginer Laye seul en Europe, la main tremblante, le cœur serré par la nostalgie, recomposer sa terre natale, traduire la clameur provenant de l'atelier de son père, prêter l'oreille à la voix rassurante d'un de ses oncles et aider sa mère dans ses tâches quotidiennes. C'est en écrivant *L'enfant noir* qu'il pouvait retrouver ses camarades de jeu restés au pays, ceux avec lesquels il passa l'épreuve douloureuse de la circoncision telle qu'il allait la retracer dans son récit. Comment pouvait-il parler d'amour – sujet presque tabou chez ses contemporains –, sinon en se rappelant la silhouette à la fois fugitive et omniprésente de sa bien-aimée, Marie :

> « Mon oncle nous laissait son phono et ses disques, et Marie et moi dansions. Nous dansions avec infiniment de retenue, mais il va de soi : ce n'est pas la coutume chez nous de s'enlacer ; on danse face à face, sans se toucher ; tout au plus se donne-t-on la main, et pas toujours. Dois-je ajouter que rien ne convenait mieux à notre timidité ? »

Avec *L'enfant noir*, Laye nous livrait avec une sagesse prématurée les pages les plus touchantes de la littérature africaine :

> « La mer est très belle, très chatoyante, quand on la regarde de la corniche : elle est glauque sur les bords, mariant le bleu du ciel au vert lustré des cocotiers et des palmiers de la côte, et frangée d'écume, frangée déjà d'irisations ; au-delà elle est comme entièrement nacrée... »

Celui que la romancière américaine Toni Morrison appelle aujourd'hui « l'extraordinaire écrivain guinéen[1] » publia un autre roman, *Le regard du roi* (1954) dont le personnage principal est un Blanc rejeté par les siens et qui fait recours à la sagesse africaine.

---

1. « On *The Radiance of the King* » (À propos du *Regard du roi*), *New York Review of Books*, 9 août 2001.

C'est au Sénégal, lieu de son exil, qu'il écrira ses livres suivants. *Dramouss* (1966) est considéré comme la suite de *L'enfant noir* qui s'arrêtait en effet avec le départ du jeune narrateur pour l'Europe :

> « Puis l'hélice se mit à tourner, au loin mes oncles agitèrent la main une dernière fois, et la terre de Guinée commença à fuir, à fuir... Plus tard, je sentis une épaisseur sous ma main : le plan du métro gonflait ma poche. »

L'enfant noir sera le livre des origines, *Dramouss* celui du retour au pays natal, avec un constat amer, une chaîne de déceptions, une critique farouche contre la dictature du président Ahmed Sékou Touré.

Laye publiera un dernier livre, *Le maître de la parole*. Paru en 1978, cet ouvrage marque son attachement aux cultures africaines puisqu'il s'agit d'une transcription de l'épopée de l'empereur mandingue Soundiata Keïta. L'auteur dut s'investir personnellement pendant plus de deux décennies pour se « documenter » auprès des griots malinkés et achever ce recueil de textes qui sauve une bonne partie de l'« oralité » africaine si chère à l'écrivain malien Amadou Hampâté Bâ, l'auteur de la formule : « En Afrique quand un vieillard meurt, c'est une bibliothèque qui brûle. »

Le maître de la parole est ainsi un précieux héritage que Laye a légué à la postérité deux ans avant sa mort au Sénégal en 1980...

Camara Laye aura marqué les écrivains africains de sa génération. Dans une certaine mesure, chacun d'eux a écrit «son propre» *Enfant noir*: les Ivoiriens Bernard Dadié (*Climbié*, 1956) et Aké Loba (*Kocoumbo, l'étudiant noir*, 1960) ou encore le Sénégalais Cheikh Hamidou Kane (*L'Aventure ambiguë*, 1966). On retrouve dans ces textes une veine personnelle, des élans autobiographiques confirmant l'émergence de l'autofiction dans les Lettres africaines. Mais la plus grande satisfaction que pourrait aujourd'hui ressentir Laye depuis l'autre monde, c'est de constater que les auteurs africains de la nouvelle génération l'ont désormais sanctifié. C'est la Nigériane Chimamanda Ngozie Adichie – la plume féminine africaine la plus influente et la plus estimée sur le plan international – qui voit en lui l'exemple même du créateur méfiant des chapelles et, mieux encore, un véritable guide spirituel:

> «C'est grâce aux écrivains comme Chinua Achebe et Camara Laye que j'ai pris conscience que des gens comme moi, des femmes à la peau couleur chocolat, dont les cheveux crépus ne pouvaient être noués en queue-de-cheval pouvaient aussi exister en littérature. J'ai commencé à écrire sur des choses que je reconnaissais[1]...»

Depuis les années 1950, Laye continue donc de nous inspirer non pas tant par son écriture très classique, voire précieuse et que notre époque regarderait comme poussiéreuse, mais par la lucidité de son regard et son refus de voir les littératures africaines par le biais des thématique (famine, guerres civiles, dictature, etc.). En s'éloignant

---

1. Chimamanda Ngozi Adichie, *The Danger of a Single Story*, TED Talk, Oxford, 2009.

du carcan d'une création africaine souvent trop encline au chant collectif, il introduisait alors une littérature libre, portée par l'expérience de l'individu, et c'est sans doute cela qui explique l'universalité de son univers...

BRAZZAVILLE

«J'écris pour dépasser ma négritude et
élever ma prière à mes ancêtres les Gaulois;
Gaulois de toutes les races s'entend, de toutes les
langues, de toutes les cultures. »

Henri LOPES

Le romancier congolais Henri Lopes ne s'offusque jamais lorsque je l'appelle «Doyen». Il sait que dans notre «parler» congolais cela veut tout simplement dire «aîné». Au-delà de cette révérence à la congolaise, en le nommant ainsi j'exprime en réalité ma déférence quant à son œuvre que j'ai étudiée au collège et au lycée dans les années 1980 comme la plupart des élèves du continent noir de ma génération. Et lorsque j'ajoute qu'il est notre «classique», il étouffe avec difficulté un éclat de rire :

– Je suis encore vivant, et tu me canonises !

Tiré d'ordinaire à quatre épingles et portant quelquefois une casquette Stetson, il me dit un jour, sur le ton de la plaisanterie :

– Mon petit, j'ai un grand problème, et il faut vraiment
que tu m'aides à m'en sortir : si je porte ma casquette
on pensera que je fais comme toi, parce que c'est ton signe
distinctif, et si tu enlèves la tienne on va croire que c'est toi
qui me copies ! Alors, qu'est-ce qu'on fait... ?

Né d'un père belge et d'une mère congolaise, il est l'in-
carnation de l'ouverture dans les Lettres du continent noir
aussi bien par son propre métissage que par sa volonté de
fusionner les deux Congo – un rêve qu'il partageait avec
son collègue et compatriote Tchicaya U Tam'si au point
qu'il écrira *Du côté du Katanga*[1] à la mémoire de Patrice
Lumumba, figure emblématique de l'indépendance du
Congo belge, assassiné en 1961. Ce texte devint l'un des
poèmes les plus connus de l'Afrique, chanté par les musi-
ciens les plus populaires et « récité » dans les écoles aux
côtés de ceux de Senghor, de Césaire, de Victor Hugo, de
Lamartine ou de Verlaine.

Lopes a la réputation d'être un des « mécènes » de la littérature congolaise. On raconte en effet qu'il avait offert une
machine à écrire à son jeune compatriote et collègue Sony
Labou Tansi, le prévenant :

– Voilà, tu as ce qu'il faut ! Maintenant tu n'auras plus de
raison de ne plus écrire !

Lorsque le même Sony Labou Tansi publiera *La vie et
demie* en 1979, le roman sera dédié à un autre Congolais,
Sylvain Mbemba et, bien entendu, à son bienfaiteur :

---

1. Henri Lopes, « Du côté du Katanga », *Nouvelle somme de poésie du monde
noir*, *Présence Africaine*, n° 57, 1966.

« à Henri Lopes aussi puisque en fin de compte je n'ai écrit
que son livre »

À cette époque Lopes était déjà considéré comme
l'un des auteurs francophones les plus importants avec
Léopold Sédar Senghor, Cheikh Hamidou Kane, Camara
Laye, Bernard Dadié ou Mongo Beti. Et quand paraîtra en
1982 *Le pleurer-rire*, la critique décrétera que Lopes venait
de commettre son chef-d'œuvre et gagner son rang de
classique de la littérature africaine.

Il faut en effet se souvenir que dans les années 1960,
malgré l'euphorie et les espérances des peuples africains
enfin libérés du joug colonial, l'Afrique devint le théâtre
d'une vague de dictatures marquée par la présence de
monarques qui, le plus souvent, étaient arrivés au pouvoir à
l'occasion de coups d'État. Une littérature des « dictatures »
allait voir le jour vers la fin de la décennie, notamment avec
Les soleils des indépendances (1968) d'Ahmadou Kourouma,
puis plus tard avec *La vie et demie* de Sony Labou Tansi, *Les
crapauds-brousse* de Tierno Monénembo (1979) ou encore,
mais un peu plus tard, *Le temps de Tamango* de Boubacar
Boris Diop (1981).

En somme, l'Ivoirien Kourouma pointait du doigt les
conséquences des indépendances sur les sociétés traditionnelles et fustigeait l'avènement des partis uniques pendant
que Labou Tansi, à l'instar des écrivains latino-américains,
décrivait les atrocités des « guides providentiels » et dessinait
au passage la figure du rebelle, opiniâtre et immortel, bête
noire des monarques. Pour sa part, le Guinéen Tierno
Monénembo dénonçait, dans un portrait à peine voilé,

la tyrannie de Sékou Touré à travers le personnage du despote Sâ Matraq, son acharnement sur son peuple, et surtout sur les élites, incarné dans le roman par Diouldé, revenu au pays après des études d'électricité en Hongrie. Enfin, le Sénégalais Boubacar Boris Diop dressait un réquisitoire de ces indépendances fallacieuses avec pour angle d'attaque le règne de Léopold Sédar Senghor, élu président du Sénégal en 1960...

Le pleurer-rire allait se démarquer par son ton, son originalité, son français «africanisé», avec un foisonnement de «congolismes» – le «francongolais» ou le «congaulois», diront certains – et une structure très éclatée portée par un enchevêtrement de voix de narration. Le comique et le burlesque étaient convoqués dans une littérature congolaise que l'on qualifiait jusqu'alors de sérieuse, voire d'obséquieuse.

Lopes prêchait en quelque sorte l'art de la «légèreté», du croquis grossi par une loufoquerie sans bornes. La satire des mœurs sociopolitiques, le tribalisme, le marxisme-léninisme vers lequel les nations africaines se tournèrent après les indépendances seront traités avec cette fantaisie qui caractérise l'univers de Lopes. Ses personnages, les uns plus cocasses que les autres, viennent du peuple, parlent la langue de la rue, mais certains, ceux qu'il appelle les «évolués», ont une langue soutenue, celle-là qui défie les caciques du pouvoir nommés juste parce qu'ils sont de la même ethnie que le dictateur.

Le pleurer-rire mettra de ce fait en scène un dictateur surnommé Hannibal-Ideloy Bwakamabé Na Sakkadé arrivé au pouvoir à l'occasion d'un coup d'État et qui exercera un pouvoir si autocratique qu'il n'acceptera même pas qu'un de ses ministres prononce un discours ou aille inaugurer la moindre bâtisse publique. L'autocrate est partout, omniprésent – voire omniscient, hante la vie quotidienne et les rêves de la population. Il n'a d'égal que le Christ, et sur terre il se compare aux dirigeants de son rang comme Louis XIV qu'il admire au point de se faire construire son propre jardin de Versailles dans le dessein de recevoir les grands de ce monde qui viendraient l'honorer pendant la célébration de ses anniversaires. Pendant ce temps, le peuple croupit dans la misère. Une situation qu'il ne faudrait surtout pas imputer au «Roi-Soleil des tropiques», mais à la mollesse et à l'inaptitude de ses sujets.

Le pleurer-rire allait en étonner plus d'un dans la mesure où l'auteur était parallèlement un des hommes politiques de premier plan du pays. Beaucoup furent en effet surpris de cette critique très caustique des méandres du pouvoir politique congolais par quelqu'un qui avait été Premier ministre dans les années 1970, puis haut fonctionnaire à l'Unesco avant d'être ambassadeur de son pays en France – ce qui serait de nature à le «disqualifier» comme écrivain. L'auteur lui-même s'étonne encore – sans pour autant que cela le gêne –, qu'on ne le réduise qu'à ce troisième ouvrage qui est, au regard de ses parutions précédentes, une pièce d'un univers très varié.

Si dans *La nouvelle romance* (1976) il emprunte largement la forme épistolaire avec Wali, la femme du volage Delarumba, une héroïne qui écrit à ses amies et à son époux depuis l'Europe, *Sans tam-tam* (1977) sera le roman dans lequel cette forme de narration se déploiera de bout en bout, avec un personnage masculin de l'arrière-pays qui s'adresse à son ami résidant en ville. Avec *La nouvelle romance*, il s'imposera comme un des défenseurs de la condition féminine en Afrique avant même que ne se fasse enfin entendre, et dans cette même forme épistolaire, la voix de la romancière la plus féministe du continent, Mariama Bâ, qui publiera *Une si longue lettre* (1979). Et c'est également la forme du récit épistolaire que privilégiera l'auteur dans *Le pleurer-rire*...

Le chercheur d'Afriques (1990) ouvre la période du questionnement identitaire de l'auteur à travers le personnage d'André venu poursuivre ses études à Nantes. Comment être un métis en métropole – ou même en Afrique dont les souvenirs sont ici ressassés – et jusqu'où peut-il aller dans la recherche de son père européen ? La musique et l'amour peuvent-ils cautériser toutes ces plaies profondes qui remontent à l'enfance ?

Les romans *Sur l'autre rive* (1992) et *Le lys et le flamboyant* (1997) ou *Dossier classé* (2002) symboliseront le déplacement, les voyages du côté de l'autre Congo (Kinshasa), des Antilles ou des États-Unis avec une multitude de personnages métis. Ces traversées illustrent combien Lopes est sans conteste un écrivain de la mobilité, mais une mobilité qui n'efface pas pour autant les stigmates de cette terre d'origine qu'est le Congo où certains de ses protagonistes viennent trouver la mort comme pour mettre un terme à leurs pérégrinations, et surtout au trouble que cause l'ambiguïté de leur identité.

Et ce questionnement identitaire est aussi apparent dans son recueil d'essais *Ma grand-mère bantoue et mes ancêtres les Gaulois* (2003). Peut-être a-t-il enfin défini dans ce livre le statut très hybride de l'écrivain d'Afrique noire francophone :

> «J'écris pour dépasser ma négritude et élever ma prière à mes ancêtres les Gaulois ; Gaulois de toutes les races s'entend, de toutes les langues, de toutes les cultures. Car c'est pour moi que Montaigne s'est fait amérindien, Montesquieu persan et Rimbaud nègre. C'est pour m'aider à déchiffrer l'Afrique que Shakespeare a fait jouer ses tragédies, que Maupassant m'a légué ses nouvelles... »

PORT-AU-PRINCE

> *« Quoi qu'on en dise, la littérature reste un lieu*
> *de pouvoir, peut-être plus encore que de création. »*
>
> Gary VICTOR

Lorsqu'on a entre les mains un roman de Gary Victor, on prend le temps de s'attarder sur le titre, non sans une certaine admiration devant la trouvaille de l'auteur. M'inspirant justement de quatre titres de ses œuvres, je m'étais même amusé une fois à écrire les lignes qui suivent pour lui dédicacer un des mes livres :

« Pour Gary : À l'angle des rues parallèles, empruntant La piste des sortilèges, je vis comme par enchantement Le Diable dans un thé de citronnelle ! Pris de panique, pour le repousser, je lui lançai : Je sais quand Dieu vient se promener dans mon jardin... »

Les romans mentionnés en italiques sont parmi les pièces maîtresses de Victor, l'auteur le plus populaire en Haïti, mais pour l'heure le moins connu à l'extérieur des frontières de la première République noire, comparé au rayonnement d'une Edwige Danticat – la plume haïtienne la plus influente de l'espace anglophone –, ou d'un Dany Laferrière élu en 2014 à l'Académie française.

Quasiment introuvables hors d'Haïti, les livres de Victor n'étaient pendant longtemps publiés et diffusés qu'à Port-au-Prince, parfois dans les marchés, à proximité des bananes plantains, des tubercules, des courgettes, des noix de coco ou du rhum Barbancourt – ce qui fait dire à l'auteur, avec un brin d'humour, qu'en Haïti le livre est une « denrée de première nécessité » malgré le taux d'analphabétisme qui règne dans le pays.

Ses lecteurs le considèrent comme le Gabriel García Márquez local car, à l'instar de ce dernier en Colombie, il arrive que ses romans soient « piratés », en clair, photocopiés, dupliqués et vendus à la sauvette...

Taxé de faire une « littérature trop populaire » avec des « thématiques trop haïtiennes » selon certains de ses confrères ou, pour les plus bienveillants, d'être « le seul écrivain à l'écoute du peuple », Victor revendique haut et fort cette proximité avec le quotidien. Et il ne se prive d'ailleurs pas d'interpeller ses pairs déconnectés, partisans d'une littérature dans laquelle les Haïtiens ne se reconnaissent pas :

« Aujourd'hui encore, et malgré une profusion de textes de qualité, je trouve que la littérature haïtienne reste – en termes fictionnels – très pauvre par rapport à ce que le pays produit en termes de fantasmagories. Je pense que la peinture est beaucoup plus riche à ce niveau, peut-être parce que les peintres échappent à la position de pouvoir dans laquelle l'écrivain haïtien se trouve enfermé. Quoi qu'on en dise, la littérature reste un lieu de pouvoir, peut-être plus encore que de création[1]. »

Victor envie les peintres populaires de son pays, dépositaires de la mémoire et qui, d'un coup de pinceau, communient avec les esprits de l'île. Sa peinture, il la fera avec les mots. Il connaît de l'intérieur les «petites gens», lui qui a fait des études d'agronomie, a décrit dans ses livres les paysans avec une émouvante affection. Il est, à sa manière, sur les traces de son père René Victor, le célèbre sociologue qui publia, entre autres, dans les années 1930, *Essai de sociologie et de psychologie haïtienne* et *Chansons de la montagne, de la plaine et de la mer*. René Victor mettait en valeur le riche répertoire de ces «débris de vieilles civilisations» que sont les chants populaires. Si le père était obnubilé par les cultures anciennes et la préservation de la mémoire, le fils sera le «sociologue du présent», promenant sa touffe de cheveux carrée et sa gigantesque stature de lutteur sénégalais dans les artères de Port-au-Prince où il est né en 1958, l'année qui suivit l'élection de François Duvalier, alias «Papa Doc», le quarantième président de la République haïtienne.

Son enfance se passera dans l'atmosphère de la terreur des escadrons de la mort – les tristement célèbres «tontons Macoutes» – pendant que le nouvel homme fort fondait

---

1. « Personnages en quête d'auteur », entretien de Nathalie Carré avec Gary Victor, *Africultures*, 29 octobre 2008.

sa pérennité sur la délation et les exécutions sommaires qui poussèrent les Haïtiens à s'exiler en masse vers le Canada, les États-Unis, voire l'Afrique noire.

Comme les gamins de son époque, à l'école il fut contraint de chanter les louanges du dictateur, d'apprendre par cœur l'hypnotique *Catéchisme de la Révolution* concocté à la gloire du tyran. À la question capitale posée par ce manuel de propagande, « Qu'est-ce que Duvalier ? », il avait répondu sans peser le sens de ce qu'il avançait et ne se fiant qu'à sa mémoire saturée par l'endoctrinement :

– Duvalier est le plus Grand Patriote de tous les temps, l'Émancipateur des masses, Rénovateur de la Patrie haïtienne, Champion de la Dignité nationale, Chef de la Révolution et Président à Vie d'Haïti.

Lorsque ledit « président à vie » meurt en 1971, Victor a treize ans. Jean-Claude Duvalier alias « Baby Doc » prend la succession du père le lendemain et s'autoproclame lui aussi président à vie, il n'a que dix-neuf ans.

Après une quinzaine d'années de règne, Baby Doc est contraint de quitter le pouvoir. Victor a publié ses premières nouvelles dès 1976 dans *Le Nouveau Monde*, un quotidien pro-gouvernemental, puis dans *Le Nouvelliste* qui l'embauchera comme chroniqueur. Pendant la présidence de René Préval arrivé au pouvoir en 1996 après le départ de Jean-Bertrand Aristide, Victor est un haut fonctionnaire de l'État, notamment à la direction générale du ministère de la Culture et, plus tard, au secrétariat général du Sénat. Il a trente-deux ans lorsque paraît *Clair de Manbo*, son premier roman. Remonte en lui la rage d'avoir été spolié de son enfance et le ton est donné : *Clair de Manbo* est une critique acerbe contre l'appétit du pouvoir. Son personnage Hannibal Séraphin, dont la résolution est de mettre fin au pouvoir duvaliériste, est pris dans l'engrenage car il n'est pas exclu que lui-même devienne un président à vie, et cela suffit pour susciter de la jalousie ou de la convoitise dans son entourage.

Victor veut explorer divers genres littéraires. La jeunesse est sa préoccupation. Et c'est à elle que l'auteur s'adresse en particulier dans ses chroniques très assassines à la radio et à la télévision ou dans ses scénarios pour le théâtre et le cinéma. Il fustige la petite-bourgeoisie haïtienne, dénonce les politiciens locaux, convoque le vaudou et pratique même une autodérision décapante. Ainsi naissent à la radio les chroniques les plus célèbres du pays intitulées *Chroniques d'un leader haïtien comme il faut* et dont la version écrite a été publiée en 2006 à Montréal...

Comme beaucoup d'écrivains haïtiens, Victor connut l'exil au moment du coup d'État militaire de 1991 qui obligea le président Jean-Bertrand Aristide fraîchement élu à s'exiler aux États-Unis. Victor se retrouva au Canada pendant cinq années durant lesquelles il écrivit ses œuvres les plus marquantes, dont *La piste des sortilèges* (1996), son grand roman. Pendant l'écriture de celui-ci, il côtoie son « grand frère » Dany Laferrière qui réside dans la même ville :

« C'est un livre qui demande que tu lui consacres plus d'attention et plus d'efforts », lui conseillera Laferrière, très séduit par la puissance et la force des croyances haïtiennes qui traversent le texte[1].

Tout l'univers de Victor est concentré dans cette *Piste des sortilèges* : le brassage des époques, l'ombre et la lumière, les mythes, la magie, la féerie, le fantastique, le vaudou et la politique. On traverse l'histoire d'Haïti dans cette fiction époustouflante qui se déroule en une seule nuit, une nuit qui s'étend sur plus de cinq cents pages entre deux mondes, le nôtre et celui des morts, là où se retrouve le pauvre Persée Persival, «un homme juste», tué par un député véreux. Un autre protagoniste, Soson Pipirit, est indigné par cette disparition et décide d'«exfiltrer» son ami du royaume des morts. Les justes ne méritent pas la mort. Soson Pipirit doit donc emprunter la mystérieuse «piste des sortilèges» pour délivrer le pauvre Persée Persival. Il y a des épreuves, des histoires à raconter – quelles histoires pourrait-il raconter sinon celle de Persée Persival ? Dès lors Victor remonte au déluge, réduit ou étire le temps pour nous présenter le visage à la fois obscur et éblouissant de son pays depuis l'époque des colons blancs jusqu'à celle de la cohorte des présidents à vie qui ont régné sur l'île. Le livre, écrit en français, résonne cependant merveilleusement en créole. Derrière cette somme se cache une ambition littéraire parvenue à maturité et Victor se pose comme l'héritier le plus sûr du «réalisme merveilleux haïtien» prêché par celui qu'il considère comme son maître, le classique de la littérature haïtienne Jacques Stephen Alexis.

---

1. *Le Nouvelliste*, 6 novembre 2009.

L'inclination de Victor pour le « réel merveilleux » provient en réalité du Cubain Alejo Carpentier, signe que la littérature haïtienne, même écrite en français, était en adéquation avec son voisinage latino-américain. On ne peut nier en effet l'ombre tutélaire du *Royaume de ce monde* (1949) de Carpentier sur *La piste des sortilèges*. Le Cubain avait, pourrait-on dire, écrit un « vrai roman haïtien » puisqu'à travers son personnage Ti-Noël, Carpentier revisitait déjà toute l'histoire d'Haïti, y mêlant une dose de magie, de sorcellerie, d'envoûtement et de vaudou, des « réalités » somme toute ordinaires pour l'Haïtien moyen. Et c'est ce chef-d'œuvre qui posera les jalons du « réel merveilleux » et qui fera émerger plus tard la littérature latino-américaine sur le plan international avec l'arrivée des auteurs tels Gabriel García Márquez ou Juan Rulfo.

Victor, avec *La piste des sortilèges*, surprit donc et ses lecteurs les plus fidèles et ses détracteurs. Il venait de concilier, voire de réconcilier la littérature de son pays avec les croyances populaires...

*

Les livres de Gary Victor sortaient peu à peu d'Haïti grâce à l'énergie de son éditeur québécois Rodney Saint-Éloi qui s'employait à les rendre disponibles en Amérique du Nord, notamment à Montréal. En Europe, même si les éditions Vents d'ailleurs rééditèrent quelques romans largement connus en Haïti, elles ne parvinrent pas à les imposer au grand public. L'auteur arrivait en France dans la plus grande discrétion, invité comme d'autres « écrivains du sud» par les réseaux de promotion de la culture française dans le monde, et il était le plus souvent assis dans un angle mort du Salon du livre de Paris d'où seuls quelques lecteurs avertis – pour la plupart des Haïtiens – reconnaissaient sa touffe afro, son regard très mélancolique et lui demandaient ce qu'il pouvait bien «foutre là»...

Maudite éducation (2013) et *L'escalier de mes désillusions* (2014) ont été publiés à Paris. Dans le premier, Victor revient sur son enfance et sa jeunesse pendant la dictature des Duvalier. Face à un père trop «rigide», le narrateur parfait en secret son éducation sexuelle dans les livres de la bibliothèque familiale et, pour lier la théorie à la pratique, il «descend» retrouver les filles de joie dans les ruelles crasseuses de Port-au-Prince. Mauvaise éducation? En tout cas, «l'écrivain du peuple» est en train de naître et tout ce qu'il décrira viendra des rumeurs et des légendes de ces ruelles. Il y ajoutera, bien entendu, sa force de conteur et s'attellera à inventorier «ce que le pays produit en termes de fantasmagories». *Mauvaise éducation* figurera dans la sélection du prix Médicis 2012, une première pour l'auteur.

Dans *L'escalier de mes désillusions*, Victor revient sur le séisme qui secoua Haïti en 2010. Carl – qu'on devine aisément comme le double de l'auteur –, après les secousses du tremblement de terre, se rue chez sa belle-mère dans l'espoir d'avoir des nouvelles de son ex-femme et de sa fille. Il ne trouvera que la belle-mère, seule. Et les deux s'attendent, la gorge serrée par l'angoisse, à recevoir une mauvaise nouvelle. La catastrophe qui démantibula le pays aura également détruit les structures familiales et remué le passé des individus.

Victor est également un nouvelliste. Le lecteur retrouvera par exemple une atmosphère à la fois angoissante et burlesque dans *Treize nouvelles vaudou* (2013) – la magie du titre, cette fois-ci, s'opère à travers le chiffre 13. Jusqu'où l'homme peut-il aller dans le dessein d'assouvir sa convoitise du pouvoir ? Les sacrifices nocturnes, la pratique de la sorcellerie et des rites du vaudou susciteront des frissons. Dans la nouvelle intitulée *Pilon*, par exemple, l'inspecteur Dieuswalwe Azémar qui rêvait jadis d'être Hercule Poirot, Sherlock Holmes ou Maigret raconte à un jeune collègue une des affaires criminelles qui lui fut autrefois confiée : trois meurtres dans lesquels les victimes passées au marteau pilon étaient réduites « en une bouillie d'os, de chair et de sang ». Les mobiles ? Il faut repousser les ténèbres, questionner la lune, se résoudre « aux réalités du pays ». C'est ainsi que plane dans ce livre l'ombre d'Edgar Allan Poe et ses contes funestes (*Meurtre à la rue Morgue*, pour ne citer que ce conte « extraordinaire »). Que dire aussi de ce meurtrier acquitté pour avoir argué qu'il n'avait pas abattu un homme mais... un animal ? Nous le savons tous – et je serais mal placé pour le nier : nous naissons chacun avec notre « double animal » et, lorsque ce dernier meurt, nous mourons aussi et vice versa. Dans ces nouvelles, Victor réussissait ainsi le pari de convoquer le mystère sans tomber dans le piège de la sensation ou de l'exotisme attendu des « écrivains du sud ».

En réalité, ce n'est pas seulement de la «détresse du peuple haïtien» que parle Victor dans ses livres, mais de la longue épreuve qui nous conduit vers l'humanisme. Quoi d'étonnant à ce que cela passe par l'évocation de nos défauts les plus sombres?

GABON / SUISSE

> *« Et si Dieu me demande, dites-Lui que je dors. »*
>
> Bessora

En écrivant ces lignes je ne cesse de regarder une des photos de Bessora, comme pour solliciter son secours. D'une allure plutôt décontractée, les cheveux d'ordinaire tombant sur les épaules, je la revois qui débarque au Salon du livre de Genève en 2010. Sa fille s'assoit près d'elle, ouvre son livre de jeunesse et le parcourt pendant que la mère discute avec les lecteurs et signe ses livres. Je passe discrètement la saluer, nous nous promettons de nous revoir. Nous revoir? Nous savons tous les deux que c'est une formule de politesse car le moyen le plus rapide pour revoir un écrivain, c'est de se replonger dans son imaginaire...

Parmi les écrivains africains d'expression française, la romancière Bessora fait figure d'électron libre. Discrète et portant à elle seule la voix de tout un pays – le Gabon – où la littérature peine pour l'heure à émerger sur le plan

international, Bessora est, à n'en pas douter, l'exemple
même de ce métissage des cultures qui aurait donné des
arguments à Édouard Glissant pour illustrer sa théorie de
la créolisation du monde.

Née en 1968 à Bruxelles d'un père gabonais et d'une
mère suisse aux origines polonaise et allemande, elle a
vécu tour à tour en Afrique, aux États-Unis, en France, en
Autriche et en Suisse où, après des études dans la finance,
elle a entrepris une carrière internationale avant de s'orienter vers l'anthropologie. À Genève, elle s'inscrit à l'École
des hautes études, c'est cependant à Paris qu'elle soutient
une thèse de doctorat sur la richesse principale du Gabon :
le pétrole...

Chaque fois que je la rencontre, je me dis qu'il y a dans
son regard cette «fragilité» d'artiste préoccupée par un
monde dont elle voudrait corriger les aspérités tout en res-
pectant néanmoins l'ordre des choses. On la classe souvent
dans la littérature africaine, peut-être même helvétique
ou alors française, certainement à cause de son regard
pointilleux sur cette «Gaule» – un terme qu'elle emploie
volontiers – qui deviendra un des lieux principaux où évo-
lueront la plupart de ses protagonistes. Changer le monde
ou tout juste se contenter d'en panser les blessures ? Son
univers est à la mesure de ce dilemme et ses personnages,
pour la plupart, lui ressemblent, donnent au lecteur l'impression qu'ils évoluent dans un panier de crabes et qu'ils
devraient payer au prix fort leur indépendance.

Bessora a créé avec le temps un univers marqué par
le sens de la formule et le trait très appuyé d'un humour

et d'une ironie irrésistibles qui constituent désormais sa
marque de fabrique.

Son premier roman, *53 cm* (1999), reflète d'ailleurs de
très près sa propre vie même si l'auteure réussit avec
virtuosité à mettre de la distance entre elle et ses personnages – c'est aussi là une des clés de son talent. Comment
par exemple ne pas l'associer à son héroïne Zara? Celle-ci
est née en Belgique, elle est d'origine suisso-gabonaise
comme Bessora et souhaite venir en France afin d'étudier
les mœurs des populations «primitives». Cette science, la
narratrice l'appelle la «gaulologie», et ce sera le parcours du
combattant car il lui faudra, pour tout commencer, un vrai
«talisman» – en l'occurrence la carte de séjour. L'occasion
pour Bessora d'entreprendre une analyse «ethnologique»
de la France, passant à la moulinette les poncifs, les préjugés
raciaux ou encore les multiples aberrations administratives
qui rendent la vie dure aux étrangers. Dans un ton plutôt
enjoué, elle retourne les rôles, applique à l'Europe les théories naturalistes et déterministes qui, en d'autres temps,
étaient élaborées par certains philosophes et anthropo-
logues pour légitimer la colonisation et diviser le monde
entre, d'un côté, les civilisés et, de l'autre, les barbares à
qui les premiers avaient le devoir d'apporter les Lumières.
L'originalité et le ton de ce roman lui vaudront d'être qualifiée de «petite-fille exotique de Raymond Queneau» par
la critique française, sans doute parce que, comme l'auteur
du *Chiendent* (1933) et traducteur prodigieux de *L'ivrogne
dans la brousse* du Nigérian Amos Tutuola, Bessora jongle
avec la langue, multiplie les tournures loufoques, dévoie

le sens des mots, privilégie le langage parlé, prend le parti de déconstruire les mœurs qui paralysent la société française et, au-delà, le monde européen. Les critiques insisteront également sur la «parenté» de l'auteure avec Alfred Jarry, certainement pour le côté burlesque, et Voltaire pour l'ironie et la liberté de pensée.

On pourrait critiquer cette formule de «petite-fille *exotique*», avec la charge paternaliste et coloniale que véhicule cet adjectif malheureux que je mets en italiques et que je n'ai volontairement pas repris dans le titre de ce chapitre. Comment ramener à la raison une critique qui ne perçoit les œuvres d'écrivains dits «exotiques» que sous l'angle de la comparaison avec les auteurs officiels, ceux qui sont censés avoir tracé les sillons de la littérature occidentale? Bessora me semble pourtant plus proche d'Ahmadou Kourouma ou d'Éric Chevillard, et il n'y a pas plus exotique que cette littérature occidentale, j'allais dire française, qui, avant et pendant la période coloniale, produisait des récits de voyages, de propagande ou d'exploration de ce monde considéré comme lointain, coupé de la civilisation et qui alimentait les phantasmes des Européens. Et cette littérature exotique avait pour particularité de gommer «l'indigène» ou de le mettre à l'arrière-plan, l'auteur parlant le plus souvent à sa place...

Le deuxième roman, *Les taches d'encre* (2000), s'écarte certes de la vie de l'auteure, confirme sa veine cocasse et se déroule une fois de plus en France. On croise, parmi les multiples personnages, les uns plus «grotesques» que les autres, une voyante rwandaise, le couple Bernard et Bianca, entre autres. Les dialogues incisifs et abrasifs, le sens de l'observation et de la caricature mêlé au jeu de mots de plus en plus appuyé lui valent le prix Fénéon.

Bessora n'ignore pas sa condition de métisse. La question est abordée, toujours dans une veine enjouée, avec *Deux bébés et l'addition* (2001) où l'on va à la rencontre de Yeno et Waura, des jumeaux particuliers : le premier est noir et la seconde est blanche. L'auteure est-elle en train d'écrire de manière détournée son autobiographie ? En tout cas, avec *Petroleum* (2004), elle retrouve l'univers du pétrole auquel elle avait consacré sa thèse. Il ne s'agit plus de démontrer, d'expliquer ou de soutenir une théorie mais de pointer du doigt les pratiques ténébreuses en cours au Gabon où le dirigeant autocratique se partage le gâteau des hydro-carbures avec certaines compagnies françaises au détriment du peuple plongé dans le dénuement le plus extrême.

Après l'Afrique, Bessora revient en Europe, évoque le calvaire de Claire confrontée au sida dans *Cueillez-moi, jolis messieurs* (2007) et de Juliette, écrivaine désespérée, sans logement et sans le sou, mère de deux enfants et qui trouve refuge chez cette malade au bord du suicide. L'auteure donne presque au lecteur l'impression, par la joute ver-bale et la reprise de certains thèmes comme la difficulté de vivre à Paris ou la callipygie de Juliette, qu'il s'agit d'une suite à *53 cm*.

On croit enfin Bessora «spécialisée» dans la chronique sociale européenne, mais la voilà qui repart pour le Cameroun avec *Et si Dieu me demande, dites-Lui que je dors* (2008), une «farce» dans laquelle l'héroïne Rosie Parks – non, ce n'est pas une coquille – est une romancière invitée avec d'autres à Yaoundé par un éditeur camerounais qui se présente d'ordinaire comme le descendant de Louis XIV. Et cet éditeur existe, avec un nom tout particulier : Edmond VII Mballa Elanga. Les historiens auront du pain sur la planche...

Bessora aime bousculer les conventions, fusionner les cultures, inventer de la neige en Afrique équatoriale ou le désert en plein cœur de Paris. Attentive aux nouveaux moyens de communication, dans son *Cyr@no* (2011), elle revisite la pièce d'Edmond Rostand, *Cyrano de Bergerac*, à travers la passion amoureuse de Roxane pour un blond à particule, Christian Belhomme de Franqueville. Roxane passe avec lui une première nuit qu'elle estime « réussie ». Mais le lendemain Belhomme de Franqueville lui annonce la fin de la relation. Blessée, elle crée sur le Net le personnage de *Cyr@no*, et Belhomme de Franqueville n'est pas loin de tomber dans le piège. Changement de cap dans l'univers de la romancière ? L'humour est toujours là, de même que ce génie des trouvailles. Ce roman est le reflet de notre époque où les secrets, la vie privée, la vengeance s'étalent désormais sur les réseaux sociaux. Et il prouve en réalité que Bessora est résolument une auteure moderne et soucieuse du monde qui change. Une bénédiction pour les Lettres d'Afrique noire francophone qui peuvent s'honorer de compter enfin une voix féminine dense, singulière et méfiante envers les thématiques imposées (féminisme, traite négrière, sociétés et mœurs traditionnelles africaines, etc.) ou de ce militantisme insipide qui fait oublier à bon nombre d'écrivains africains de la nouvelle génération que la littérature est le lieu par excellence de l'indépendance d'esprit.

POINTE-NOIRE

> *« Même pas un seul mot sur moi ! »*
>
> Tonton VICKY

La capitale économique du Congo, Pointe-Noire, que j'avais quittée pendant deux décennies, jouissait à l'époque d'une réputation qu'on mesurait aux appellations que les Ponténégrins eux-mêmes lui donnaient : « Ponton-la-Belle », « Ponton-sur-Mer ». Sa beauté se mesurait à sa verdure, son centre-ville à l'architecture mêlant la modernité à la tradition avec, notamment, la célèbre gare du Chemin de fer Congo-Océan (CFCO). Mais il y avait surtout son calme et sa tranquillité – la ville avait en effet toujours échappé aux différentes guerres civiles du pays, plus concentrées dans la capitale politique, Brazzaville.

L'océan Atlantique lui assurait une place de choix en Afrique centrale : « ville-monde », Pointe-Noire, avec l'un des ports maritimes les plus importants du continent, était un axe de communication profitant à plusieurs pays voisins n'ayant pas accès à la mer...

279

J'ai grandi dans le quartier Tié-Tié, où l'un de mes oncles, tonton Vicky, possédait le fameux bar Joli Soir, situé non loin de l'avenue de l'Indépendance. Chaque soir, ce lieu d'ambiance était plein à craquer, mais il y avait autant de monde à l'extérieur qu'à l'intérieur. Mon oncle avait installé des lampadaires et des baffles dehors, de sorte qu'il n'était pas surprenant de voir des couples danser devant l'établissement ou des passants s'arrêter un moment, se joindre à la liesse générale avant de poursuivre leur chemin. La musique de Franco Luambo Makiadi, de Youlou Mabiala, des Bantous de la Capitale ou de Pamelo Mounk'a résonnait toute la nuit et les « ambianceurs » ne quittaient cet espace qu'avec les premières lueurs de l'aube. Ils se soulageaient contre les façades alentour et tenaient à peine debout sous l'effet de l'alcool.

Mon oncle était également le propriétaire du studio-photo Vicky qui donnait sur l'avenue de l'Indépendance. Je voyais arriver les adultes, tirés à quatre épingles, avec des pantalons à pattes d'éléphant, des chemises aux couleurs vives. Ils prenaient des poses ridicules devant des décors qui auraient pu être ceux de Jean Depara, le célèbre photographe de la République démocratique du Congo.

Je revois encore la tenue scolaire kaki, à la mode soviétique, avec une écharpe rouge vif. Je réentends la clameur des rues, le bruit des pots d'échappement des autobus épuisés par des trajets sinueux d'un bout à l'autre de l'agglomération. Je n'oublie pas les petits commerçants des rues principales ou des marchés à la sauvette et les Africains de l'Ouest qui tenaient le commerce dans les quartiers populaires.

Nous parlions principalement le munukutuba alors que les Brazzavillois s'exprimaient en lingala. Notre vie était « orientée » par les humeurs de l'océan Atlantique tandis qu'à Brazzaville, c'était le fleuve Congo qui dictait sa loi, avec le commerce au Beach. Les Ponténégrins, eux, étaient au carrefour du monde. Ils voyaient arriver les navires provenant des contrées lointaines. Ils attendaient au port maritime les pêcheurs béninois qui bravaient les vagues pour ramener des poissons que se disputaient par la suite les petits commerçants, parfois en s'échangeant des noms d'oiseaux. Enfants, nous voyions les adultes se lever de bonne heure, s'orienter vers ce port afin de proposer leurs services. Pointe-Noire était alors l'une des métropoles symbolisant l'éveil d'une Afrique qui espérait retrouver son autonomie en embrassant l'idéologie communiste. Mais la ville était encore divisée en deux parties, entre les quartiers populaires (Tié-Tié, Fouks, Rex, Roy, Quartier Trois-Cents, Voungou, Matende, etc.) et le centre-ville, lieu de l'activité économique, habité principalement par les Européens et les Ponténégrins les plus nantis.

Pour se rendre au centre-ville on devait bien s'habiller. On empruntait ensuite un bus qui longeait l'avenue de l'Indépendance. On ne pouvait rater cette foule le long de cette artère. Ici, une femme portait un sac d'ignames sur la tête avec son bébé dans le dos pour gagner le Grand Marché. Là, un chauffeur était aidé par des gamins afin de déplacer son véhicule qui venait de tomber en panne en plein carrefour. Un peu plus loin, une bagarre attirait une foule en délire...

L'urbanisation sauvage et l'occupation de l'espace à l'horizontale défiguraient déjà la ville au point que, dans beaucoup de nouveaux quartiers, les habitations ressemblaient à des favelas. Certaines artères goudronnées étaient dans un état tel que les automobilistes devaient davantage se préoccuper des trous que de la sécurité des piétons. À cela s'ajoutaient l'éternelle épine de l'évacuation des eaux de pluie, les rivières sur lesquelles flottaient les ordures ménagères, les rejets causés par l'activité des compagnies pétrolières et qui, à la longue, encrassaient le sable de la Côte sauvage, dénaturaient le visage de cette cité que certains s'amusaient à qualifier désormais de «Ponton-la-Poubelle»...

*

Lorsque je revisitai Pointe-Noire plus de deux décennies après, j'ignorais que j'allais retrouver les ombres de mon enfance, les silhouettes à peine tapies dans les cendres des souvenirs et qui, à chacun des mes pas, réveillaient cette «intranquillité» qui précède la gestation d'un livre.

Paradoxalement je refusais de céder à la tentation de me laisser aller à l'écriture. Je repoussais ces moments où je me retrouverais seul ou encore toute pensée qui me ramènerait vers cette enfance si lointaine, égarée dans les lacis de la mémoire, pourtant plus que jamais proche par la clameur des rues ou le spectacle joyeux de certains gamins qui traversaient les avenues avec leurs cerceaux. Pouvais-je être au-dessus de cette force imperceptible qui m'oppressait lorsque j'apercevais l'envol des moineaux, le ciel qui se couvrait soudain et les gouttes de pluie qui crépitaient sur les toits en tôle de la maison de ma défunte mère ? La délivrance ne proviendrait que par la libération d'une parole qui n'était plus mienne, celle-là qui provenait de ces âmes disparues et surprises de me voir revenir après une si longue absence.

En première ligne de ces âmes, maman Pauline m'apparaissait avec son couvre-chef en pagne, son regard immobile et ses mains tendues comme pour m'inciter à l'embrasser. Un fossé nous séparait maintenant – peut-être la distance entre nos derniers mots et ce jour où elle quitta ce monde en insistant qu'il ne fallait surtout pas me prévenir au risque de me plonger dans une tristesse qui brouillerait son itinéraire vers l'au-delà...

Papa Roger était juste derrière elle, les rides profondes, les yeux baissés, me reprochant une ingratitude dont je recherchais en vain les mobiles.

Tonton René, plus distant, me tournait le dos et ne souhaitait pas me parler même si je portais son nom – dans notre tribu les neveux portent souvent le nom de l'oncle et celui-ci est considéré comme le chef de famille.

Tante Bouanga, encore affectée par l'éléphantiasis, était assise sur une pierre et chassait inlassablement les mouches qui s'aventuraient sur ses plaies béantes alors que je pensais qu'avec la mort nous laissions la maladie sur terre, pour les vivants.

Le cousin Miyalou, qui s'était donné la mort par pendaison, portait encore sa corde autour du cou comme pour solliciter mon indulgence et rappeler qu'il tenait pourtant à la vie et que c'est la vie qui ne tenait plus à lui.

La grand-mère Nsoko et le grand-père Massengo étaient plus que jamais amoureux, même dans l'autre monde – cela se voyait par leur silhouette soudée...

Il me fallait m'échapper de cet univers des ténèbres et entrer dans une réalité, celle du brouhaha des marchés, des bars, des places publiques. Hélas, ces personnages familiaux, opiniâtres, ne me quittaient plus d'une semelle. J'étais prêt pour l'écriture, et je n'avais plus le choix...

*

Le soir, j'ouvris un cahier d'écolier. Par où, par quoi et par qui commencer? Par la mère, bien sûr. Parce qu'elle est mon lieu exact de naissance. Parce que je cherche encore depuis quel monde elle suit mes pas, me préserve des mauvais esprits, des sorts les plus maléfiques et corrige les aspérités de mon existence sans pour autant réclamer quelque crédit. J'imaginais à présent où elle résidait depuis sa mort : là-haut, à l'intérieur de cette pleine lune que j'apercevais depuis la fenêtre. Elle était cette femme des mythes de ma tribu et qui avait la charge de porter le monde sur son dos jusqu'à la fin des temps. Oui, c'était elle la silhouette que j'apercevais en permanence. Pendant que je griffonnais les premières lignes de ce livre que j'allais intituler *Lumières de Pointe-Noire*, j'avais le sentiment que c'était elle qui me dictait les mots d'une voix lointaine, que c'était elle qui corrigeait ou rajoutait ici et là ce qui pourrait donner à mon imagination une réalité plus authentique. J'écrivais sans relâche avec son ombre derrière mon dos. Quand je me retournais, elle disparaissait et ne réapparaissait que lorsque j'avais le nez dans mon cahier. Par pudeur, elle n'intervenait pas dans les descriptions que je faisais d'elle. Elle était plutôt exigeante dans celles où je décrivais la décrépitude de la ville et la vie quotidienne des Ponténégrins. Elle gommait ce qui pouvait être exagéré par les circonvolutions de l'imagination ou ces multiples envolées lyriques trop éloignées de notre langue, le bembé, et plus adaptées à langue française. Et je me souvenais que nous autres les bembés allions à l'essentiel, la poésie ne pouvait au grand jamais enjoliver une réalité mais simplement contribuer à sa compréhension. C'est là qu'intervenait mon oncle, lui qui avait appris la discipline du marxisme-léninisme et nous rappelait que les philosophes ne devaient pas interpréter le monde, mais le changer. Pouvais-je changer mon passé à défaut de l'interpréter ? Telle était la question qui se jouait dans ce livre que je ne pouvais classer parmi ceux que j'avais écrits jusqu'à présent.

Était-ce un roman ? Était-ce un récit ? Il s'agissait d'un récit-poème né de la cosmogonie des bembés et des légendes ponténégrines. C'était ainsi que je voyais *Lumières de Pointe-Noire*.

À la parution du livre, je me sentis soulagé. Pour combien de temps ? me demandai-je encore. Déjà, dans mon sommeil, ces âmes me rendaient visite, certaines boudant parce qu'elles étaient « mal placées », à la fin du livre ou juste sur quelques pages ; d'autres criant au scandale parce qu'elles n'avaient pas été conviées. L'âme la plus râleuse était celle de mon autre oncle, tonton Vicky, qui était le propriétaire d'un des studios-photo les plus réputés de Pointe-Noire.

– Même pas un seul mot sur moi ! beuglait-elle.

Alors je la rassurais, je lui rappelais qu'elle était dans mes pensées, voire dans certaines de mes fictions et que je n'avais pas encore fini d'accoucher de tous ces livres que je portais dans mon ventre. Cela ne l'avait pas pour autant calmée :

– Moi, c'est dans *Lumières de Pointe-Noire* que je voulais apparaître, pas dans un autre livre !

Cette âme m'apprenait ainsi qu'un livre n'est jamais terminé, que l'auteur nourrira à l'infini des regrets même après le point final. Ce qui devait être un livre écrit en été est devenu pour moi celui de ma saison la plus sombre, la plus terne. Et pour illuminer tout cela, le titre *Lumières de Pointe-Noire* me semblait plus qu'approprié...

CHÂTEAU-ROUGE

« Je suis un vrai personnage de roman ! »

Jocelyn le Bachelor

Je me retrouve comme chaque été à Château-Rouge, dans le XVIIIe arrondissement de Paris. Ici les différentes langues africaines s'entremêlent au point que le français, fondu dans le brouhaha de cette tour de Babel, emprunte naturellement les divers accents des parlers vernaculaires du continent noir et affiche de ce fait une santé de fer...

Je ne change pas mes habitudes et longe la rue Doudeauville en direction du marché Dejean. C'est sans doute le marché le plus africain de France depuis ces années 1980 où les immigrés européens qui assuraient ici les petits commerces furent progressivement supplantés par les Africains de l'Ouest et du Centre. Ceux-ci ouvrirent des boutiques, pratiquèrent parallèlement la commerce à la sauvette afin de vendre à la communauté africaine de Paris les produits de leur continent qu'ils ne trouveraient de toute façon dans aucun supermarché français.

Je cherche aujourd'hui des ingrédients pour préparer du poulet à la pâte d'arachide et aux épinards avec de l'huile de palme – un plat très répandu dans mon pays et que je n'ai pas l'occasion de manger à Santa Monica, en Californie, où je réside. Lorsque ma mère le préparait à Pointe-Noire, elle commençait par dénicher au Grand Marché des produits frais qui arrivaient du Cabinda ou de l'Angola. Puis, il fallait trouver la poule «batéké», qualifiée ainsi pour l'élasticité de sa chair et son appartenance à la tribu des Batéké, celle-là qui soutenait que la volaille ne devait jamais être élevée dans un poulailler, mais «à l'air libre», dans les ruelles du quartier. La veille, ma mère nous demandait, à mon cousin Bertin Miyalou et à moi-même, de capturer une de nos poules – les nôtres étaient reconnaissables parce qu'elles avaient un tissu rouge autour de la patte droite et erraient du côté de la rivière Tchinouka. Cela nous prenait au moins une heure, à courir après cette volaille qui, flairant sans doute la fin de ses jours, s'envolait et se réfugiait très haut dans les branches d'un manguier. Nous devions attendre au pied de l'arbre qu'elle redescende enfin pour une autre course à perdre haleine, jusqu'à sa capitulation. C'était aussi à nous de lui trancher la gorge, de la plonger dans l'eau bouillante avant de la déplumer et de la mettre à la disposition de ma mère...

À Château-Rouge ce poulet batéké est certes congelé, cependant les commerçants vous garantissent qu'il est arrivé «hier soir seulement par avion» et qu'il a été capturé dans une des banlieues de Pointe-Noire, de Brazzaville ou de Kinshasa après une bonne traque de plus de quatre heures...

En entrant dans le bazar spécialisé en poulets batéké «venus hier soir seulement par avion», un individu me bouscule. Vêtu d'un boubou multicolore, tongs aux pieds, lunettes noires, la mine dépitée, il me souffle :

– C'est pas du bon produit qu'ils vendent là-dedans!

Je ne l'écoute pas et mets la main sur un poulet qui, d'un coup d'œil, m'a l'air d'être un batéké bien frais. Les épinards ne sont pas loin ainsi que l'huile de palme et la pâte d'arachide. Je prends également du manioc et passe enfin à la caisse où le propriétaire de l'établissement, un vieil Asiatique, me murmure, le visage habité par une certaine frayeur :

– Ce petit con de Congolais qui vous a parlé à l'instant est un type qui bossait ici. Il a été viré parce qu'il piquait dans la caisse, mais il continue à nous embêter. Je vais une fois de plus appeler la police...

Mon sachet à la main, je croise des Congolais debout devant un magasin de disques. Ils égratignent le dernier album d'une certaine Cindy Le Cœur, la nouvelle vedette de la rumba congolaise qu'ils comparent avec une autre artiste, Meje 30. Dans la musique congolaise tout est question de comparaison. Un artiste ne peut être grand que s'il en dépasse un autre : dans la génération antérieure Koffi Olomide est souvent opposé à Papa Wemba tandis que dans la nouvelle génération Fally Ipupa est opposé à Ferre Gola.

Ces Congolais parlent en lingala et passent au français lorsque le ton monte et que la contradiction se fait plus radicale. Ce qui me fait penser à mon père : quand il s'énervait, il troquait la langue de notre tribu, le bembé, contre le français, non sans nous avoir prévenus en des termes clairs :

– Ne m'énervez pas, sinon je vais m'exprimer en français !

J'ai longtemps cru que le français était une langue de l'emportement, de l'irascibilité, et surtout celle de ceux qui voulaient à tout prix avoir raison.

Les Congolais se taisent à la vue d'une belle créature dont le postérieur fait presque des sauts de puce lorsqu'elle marche. Ils suivent du regard la jeune fille qui disparaît peu à peu à l'horizon...

Je m'arrête deux cents mètres plus loin pour saluer un coiffeur de Brazzaville, puis une vendeuse camerounaise de produits de beauté. Le premier insiste pour me couper les cheveux, la seconde veut me vendre au rabais des produits qui blanchiraient ma peau en « moins de quarante-huit heures chrono », jure-t-elle au nom de sa défunte tante. Je décline la sollicitation du coiffeur :

– J'ai déjà les cheveux coupés.

– Oui, mais qui a coupé ça ? me défie-t-il.

– Un Noir américain de Santa Monica.

Il éclate de rire :

– Eh, mon frère, c'est pour ça que c'est mal taillé ! Ça, c'est des genres de coupes qu'on leur faisait pendant l'esclavage, et toi tu acceptes ça ? Viens, je vais te l'arranger !

Je parviens à me débarrasser de lui en lui promettant que je reviendrai, le temps que mes cheveux repoussent. Hélas, la vendeuse camerounaise est déjà à mes trousses :

– Mon frère, mes produits c'est garanti, si ta peau ne blanchit pas, je te rembourse ! Au nom de ma défunte tante !

Je lui signifie que cela m'étonnerait que je veuille changer de couleur de peau.

Elle est plus qu'opiniâtre et je l'entends derrière moi :
– C'est pas un problème, tu peux acheter ça pour ta petite chérie ! Elle sera très heureuse !

Je me retourne :
– Et si la petite chérie en question est une Blanche ?

Elle reste figée en statue de sel pendant que je poursuis ma route...

Me voici chez le styliste congolais connu à Château-Rouge sous le nom de « Jocelyn le Bachelor ». Il est le propriétaire de la boutique Connivences, rue de Panama. Figure emblématique du milieu de la Sape (Société des ambianceurs et des personnes élégantes), mouvement né au Congo et qui se caractérise par un habillement à la fois étudié et ostentatoire, Jocelyn connaît bien le quartier de Château-Rouge. Il se plaît à rappeler qu'il y habite depuis son arrivée du Congo à l'âge de seize ans, qu'il a fait ses études secondaires et supérieures en France et qu'il maîtrise l'âme de ce pays sur le bout des doigts. Lorsqu'il convoque Montesquieu ou Diderot, on a l'impression qu'il a vécu avec ces philosophes, allant jusqu'à décrire leur habillement et à convaincre ses interlocuteurs que la Sape n'est pas un courant du ghetto, mais plutôt une manière de vivre qui va au-delà de la communauté congolaise. Après sa maîtrise en gestion, errant dans la capitale française malgré son diplôme, il est embauché un jour comme vendeur chez le couturier français Daniel Hechter. C'est pendant cette expérience qu'il s'aperçoit que les lignes vestimentaires occidentales sont réticentes quant aux couleurs les plus extravagantes. Il décide alors de créer sa propre boutique dans laquelle on trouvera aussi bien des costumes orange, roses ou vert électrique, que des cravates jaunes ou des chemises fuchsia.

Dès que vous êtes en face de lui, il déroulera son discours bien rodé, prenant un air de pédagogue méticuleux :

– Que je vous dise, l'histoire de la Sape montre combien nous autres Sapeurs ne sommes pas du tout des gens bornés ! La sape vient du Congo-Brazzaville. Elle est née à la fin des années 1950, après l'indépendance de mon pays. C'était avant tout un mélange entre les vêtements de l'époque du jazz et les habits du dimanche pour aller à la messe. C'est pour ça qu'elle ne s'est pas développée de la même manière en Afrique centrale qu'en Afrique de l'Ouest. Les Africains de l'Ouest, eux, sont musulmans et, pour aller à la mosquée, ils ne portent pas les mêmes vêtements que nous autres. On reconnaît un Congolais à ses vêtements élégants et colorés. Et puis, qu'on se le dise, les Blancs ont créé la cravate, nous on leur apprend qu'il existe plusieurs façons de la nouer ! Nous prenons, c'est vrai, ce qui vient d'ailleurs, ce qui a été créé par les couturiers français ou italiens, mais nous y rajoutons notre regard congolais ! À la différence de la mode occidentale, la Sape, elle, ne discrimine personne : on n'a pas besoin d'être mince, grand et beau comme un mannequin, on peut être élégant même en taille 62... !

C'est chez le Bachelor que les plus grands Sapeurs de Paris se donnent rendez-vous. La boutique elle-même n'est pas un établissement comme les autres et ressemble plus à un point de rencontre où le propriétaire, endimanché, joue les tribuns infatigables, fustigeant les politiciens qu'il habille pourtant ou ses propres frères à qui il reproche d'aller plutôt dans les magasins des Champs-Élysées au lieu d'épauler leur « pauvre parent » qui se bat « tout seul » depuis bientôt deux décennies dans un quartier populaire.

Il y a en permanence des canettes de bière ou une bouteille de whisky chez le Bachelor. Ne pas s'attendre à passer en coup de vent, il a des arguments pour vous faire oublier le temps. Amoureux de la poésie – il y a quelques vers des poètes romantiques bien en évidence derrière sa caisse – il assomme ses visiteurs de citations et, lorsqu'on ne reconnaît pas le nom du poète, il crie à la décadence de l'époque, au manque de manière et explique que notre monde est en déclin à cause du manque de la parole poétique.

Untel, pressé, lui dit qu'il n'a pas le temps de rester plus de cinq minutes ? Le Bachelor s'emporte :

– Donc tu crois que tu es plus fort que Lamartine qui avait tout compris en matière de temps, hein ? N'avait-il pas dit : « Ô temps ! suspends ton vol, et vous, heures propices, suspendez votre cours, laissez-nous savourer les rapides délices des plus beaux de nos jours » ?

Je sais qu'en lui rendant visite il faut que je lui parle de Los Angeles, de Beverly Hills ou de Hollywood pour le voir tout d'un coup se dérider, pousser des éclats de rire. Il rêve en effet de se rendre dans ces villes et d'installer une boutique dans chacune d'elles.

Cette fois-ci il ne souhaite pas que nous évoquions l'Amérique. Et comme je garde le silence, il fait :

– Tu n'es pas bavard... Je te connais, ça veut dire que tu es en train d'écrire un livre ! Tu écris quoi actuellement ?

– Rien...

– Comment ça, rien ? Depuis quand les écrivains sont au chômage ?

Je suis sauvé à temps par un client qui entre, mais ressort aussitôt sans rien acheter.

Le Bachelor me relance :

– Tu écris quoi ces derniers temps, mon frère ?

Le dos au mur, je bredouille :

– Un livre dont le titre sera peut-être *Le monde est mon langage*.

Je lis la désillusion sur son visage :

– C'est pas un roman alors ?

– Non, pourquoi... ?

– Parce que, moi, je suis un vrai personnage de roman, ne va pas chercher très loin ! Mon frère, le summum de la postérité c'est d'être dans un roman, et c'est même mieux que d'avoir une station de métro qui porte son nom ! Les Parisiens qui entrent dans la station La Tour-Maubourg savent-ils que ce type s'appelait Victor de Fay de La Tour-Maubourg et qu'il était un général pendant le Premier Empire et un marquis comme moi qui suis un Bachelor, hein ?

Il reprend son souffle comme pour mieux me convaincre :

– Parce que, soyons sérieux, si ce Victor de Fay de La Tour-Maubourg était un personnage de roman, eh bien, je te jure qu'il serait connu partout, même chez nous au Congo ! Jean Valjean de Victor Hugo, lui, il est plus connu que La Tour-Maubourg, et pourtant ce Jean Valjean

n'a jamais existé et n'a jamais été marquis ou général ! Si
on te demande de choisir entre la postérité de Victor de Fay
de La Tour-Maubourg et celle de Jean Valjean, tu choisirais
laquelle, toi, hein ?

Comme je ne réponds pas, il prend un air plaintif,
persuadé que je ne parlerai pas de lui dans mon livre.

– *Le monde est mon langage* ! C'est donc ça le titre du livre
en question, hein ?

– Oui, c'est ça...

– Bon, écoute, c'est pas grave ! Ça me va très bien, moi
aussi je suis le monde, et mieux encore, je suis le langage
à moi tout seul ! Parle de moi, frère, tu ne le regretteras pas,
je te ferai une pub énorme dans la communauté ! Je vendrai
ce livre dans mon magasin ! Et je te jure que même les
illettrés l'achèteront !

POST-SCRIPTUM

Le monde sur une île déserte

Les trois livres que j'emporterais sur une île déserte devraient contenir l'univers que je quitte, combler le vide, redessiner la vie. Ces livres devraient créer un autre espace où le solitaire serait comme le metteur en scène de ce nouveau monde.

Je pense d'abord à Albert Cohen, *Le livre de ma mère*. Peut-être parce que la plupart de mes livres sont des chants adressés à ma mère que j'ai perdue en 1995. Cette œuvre m'a appris une des vérités de l'écriture : le livre le plus réussi est celui qui plonge au cœur même de la fragilité de l'écrivain en tant qu'être humain. Cohen ramène quiconque le lit vers son enfance. Et c'est l'enfant qui est enfoui en nous qui forge l'écrivain que nous serons demain. Mario Vargas Llosa souligne d'ailleurs :

> « Sauf erreur de ma part (je risque évidemment de me tromper) l'homme et la femme développent précocement, dans leur enfance ou au début de leur adolescence, une prédisposition à imaginer personnes, situations, anecdotes, univers

différents du monde où ils vivent, point de départ de ce qu'on appellera plus tard une vocation littéraire[1]...»

C'est cette impression que j'ai eue en parcourant *Le livre de ma mère*. Et la première phrase me poursuit encore :

« Chaque homme est seul et tous se fichent de tous et nos douleurs sont une île déserte. »

J'emporterais également *Des souris et des hommes* de John Steinbeck. C'est certainement le plus grand éloge de l'amitié jamais écrit à ce jour. Et sur une île déserte, ce qui me manquerait c'est l'amitié, le verre dans un bistrot, le bruit et la fureur de la foule, et cette belle femme qui m'attire ! *Des souris et des hommes* me réconcilierait aussi avec l'amour des animaux, le rêve d'un autre lieu où j'élèverais peut-être des lapins... bleus ! C'est un livre de dialogues, de tendresse, de tragédie avec en premier plan les personnages de George et Lennie qui illustrent la complémentarité du paralytique et de l'aveugle, comme dans une des fables de Florian.

J'emporterais enfin *Pas de lettre pour le colonel* de Gabriel García Márquez. *Cent ans de solitude* du même auteur serait trop bruyant – et je sais aussi que plusieurs personnes choisiraient ce livre rien que pour le mot « solitude ». Or avec *Pas de lettre pour le colonel* je me sentirais moins seul, j'imaginerais ce vieux colonel courageux qui attend depuis

1. Mario Vargas Llosa, *Lettres à un jeune romancier*, Gallimard, Coll. L'Imaginaire, 2000, p. 12.

des décennies l'arrivée d'un courrier lui annonçant le versement de sa pension de guerre. Je penserais à son épouse malade, au coq de combat, la seule richesse de ce couple...

Enfin, j'essaierais quand même d'écrire un peu! Me laisserait-on partir aussi avec des cahiers vierges et un stylo?

Une littérature « afropolitaine » ?

Interview inédite accordée à Catherine Simon du *Monde des Livres*.

Jugez-vous pertinent, concernant la littérature et les écrivains, d'utiliser ce terme d'«Afropolitains» – popularisé par la romancière Taiye Selasi en 2005 ? Correspond-il vraiment à une nouvelle vague littéraire (ou à une nouvelle génération d'écrivains) ? Ou bien est-ce un mot-gadget?

En réalité, il n'y a rien de nouveau sous le soleil! On pense ouvrir des portes qui le sont déjà car le terme d'«Afropolitain» n'est en fait qu'une version «copiée-collée» d'un courant qui existait déjà en Europe dans les années 1980, avec les écrivains africains francophones de premier plan d'alors comme Simon Njami, Blaise Ndjehoya, Yodi Karone, Calixthe Beyala et Bolya Baenga. Ces auteurs étaient qualifiés de «négropolitains» et faisaient de la «littérature négropolitaine». Ils renversaient avec talent le regard ethnographique des Africains sur l'Europe (et vice versa) et nous proposaient une vision plutôt éclatée, plus personnelle, loin du bêlement collectif de la négritude et caractérisée par des textes sur le retour au pays natal, les difficultés de vivre hors de l'espace africain, les destinées des Africains nés «ici» et qui seraient désorientés «là-bas». C'était cette littérature «négropolitaine» qui donnait enfin la parole à la génération de ceux que l'écrivain djibou-tien Abdourahman Waberi allait appeler «les enfants de la postcolonie», en référence au livre de Salman Rushdie, *Les enfants de minuit.*

Ce serait donc une erreur monumentale de penser que nous sommes en présence d'un nouveau vent, d'un courant frais, d'une pensée originale alors que ce que nous vivons actuellement n'est que de l'ancien qu'on essaye de nous faire avaler comme du nouveau, avec en arrière-plan une tentation démagogique d'unifier la pensée créatrice. Donc une attitude plus que suicidaire au moment où le monde devient un langage...

Ce renouveau de la littérature (made in Africa ou made in Diaspora) est surtout le fait des anglophones et, singulièrement, des Nigérians. Ce pays est riche d'une longue tradition littéraire. Comment expliquez-vous cette «exception nigériane»?

Le Nigéria est un des pays les plus peuplés du continent africain et il a une longue tradition littéraire, mais aussi artistique – c'est la deuxième industrie cinématogra-phique du monde en nombre de films après l'Inde et devant Hollywood. C'est aussi le pays de deux des plus grands romanciers du continent africain (Amos Tutuola et Chinua Achebe) et de Wole Soyinka, lauréat du prix Nobel

de littérature en 1986. Là encore, il faut se souvenir que
même dans les écoles francophones, ceux de ma génération
lisaient déjà en traduction française les auteurs nigérians qui
étaient au programme. Je ne trouve donc pas qu'il y a une
« exception nigériane », mais plutôt une découverte ou redé-
couverte par le monde francophone du bouillonnement
d'un espace littéraire qui n'a jamais cessé de s'enrichir,
profitant également de l'ouverture d'esprit des milieux littéraires anglo-saxon et américain où ces écrivains ne sont
jamais considérés comme des « étrangers » ou réduits à un
rôle de promoteur de la langue anglaise. Il faut aussi se
souvenir que les écrivains nigérians furent les premiers à
se départir des chaînes de la négritude, avec notamment la
formule de Wole Soyinka : « Le tigre ne se pavane pas en
criant sur sa tigritude : il bondit sur la proie et la dévore ! »...
Les jeunes auteurs nigérians de la diaspora suivent cette
école et, à travers leurs expériences personnelles, ils nous
rappellent, loin des agitations militantes qu'on observe
dans l'espace francophone et qui paralysent celui-ci, que la
littérature se mesure avant tout à notre capacité à croiser
nos univers, à intégrer d'autres « Afriques » lointaines, dias-
poriques, sans pour autant troquer nos origines.

*Parmi ceux des auteurs « afropolitains », quels sont ceux, qui,
à votre avis, sont les plus prometteurs ? Qu'apportent-ils de neuf ?
Les femmes y sont presque aussi nombreuses que les hommes...*

La romancière africaine actuelle la plus brillante est
sans conteste Chimamanda Ngozi Adichie, mais il faut
élargir à d'autres Nigérians comme Helon Habila, Teju

Cole, Chris Abani, Uzodinma Iweala dont j'ai traduit en français le roman *Beast of no nation*[1], Noo Saro-Wiwa et Lola Shoneyin. La Zimbabwéenne Lucy Mushita est également très prometteuse avec son majestueux roman *Chinongwa* paru chez Actes Sud en 2012. En France la romancière suisso-gabonaise Bessora symbolise le mieux cette mutation. Ces auteurs nous donnent à lire non seulement une Afrique urbaine, cosmopolite et tenant compte de la complexité des échanges, du monde plongé dans ce qu'Édouard Glissant qualifiait de «créolisation». Ce sont des écritures libres de tout clan, de toute surenchère et qui n'ont pour seul postulat que l'expérience individuelle. C'est en cela qu'elles sont intemporelles, traversent les frontières, intéressent de plus en plus la jeunesse africaine et dessinent le nouveau visage d'une Afrique qui se cherche parfois loin de la géographie du continent noir.

Connus, voire très connus dans les pays anglophones, États-Unis et Royaume-Uni en tête, ces auteurs ne le sont pas, ou presque pas, en France – où la perception qu'on a du paysage littéraire afro-anglophone reste dominé par les «historiques» d'Afrique du Sud (Gordimer, Brink, Coetzee, etc.) ou du Nigéria (Soyinka, à cause du Nobel). Comment l'expliquez-vous?

C'est le cours normal des choses. La plupart des œuvres que nous lisons de ces auteurs anglophones de la nouvelle génération nous arrivent avec un décalage de quelques années à cause du temps qui s'écoule entre leur parution

---

1. *Bêtes sans patrie*, L'Olivier, 2007.

et leur traduction en langue française. Cependant, il faut reconnaître aussi que beaucoup de ces auteurs commencent à être plus connus en France que dans leur espace anglophone. Je pense par exemple à Henon Habila ou à Noo Saro-Wiwa. La France traduit plus d'auteurs anglophones que l'espace anglophone ne traduit les écrivains de langue française. Des auteurs afro-américains comme Percival Everett, Jake Lamar ou Eddy L. Harris sont plus connus et lus en France qu'aux États-Unis. En cela, la France garde encore son statut de dénicheuse de talents anglophones. Si, avec l'humour qu'on lui connaît, Woody Allen clame parfois qu'il fait ses films pour la France, plusieurs auteurs anglophones rêvent d'être traduits en français, d'entrer dans le paysage littéraire français. La France peut se réjouir d'être et de demeurer une nation littéraire. Elle a été le pays de James Baldwin, de Richard Wright, de Gabriel García Márquez, entre autres.

La littérature francophone semble, en comparaison, être un peu à la traîne. Je me trompe ? Si d'aventure je ne me trompais pas (trop), comment comprenez-vous cette différence entre anglophones et francophones : est-ce à cause des modes de colonisation différents et donc d'un héritage dissemblable ?

En France, hélas, on a tendance, parfois de bonne foi, à distinguer la littérature francophone de la littérature française. Ce qui n'est pas le cas dans l'espace anglophone où on ne juge pas le texte par l'origine de son auteur, mais par la force et l'originalité de son univers. Il n'y a pratiquement pas de termes qui marginalisent l'auteur anglophone alors qu'en France nous avons des concepts du genre «auteurs du sud», «auteurs noirs», «auteurs francophones», et ces catégories installent indirectement une hiérarchisation de la littérature, avec au-dessus de la pyramide la littérature «franco-française». En France donc, comme vous l'aurez deviné, il ne s'agit pas du retard des créateurs africains mais de la lenteur du paysage littéraire français à comprendre que tout texte écrit en français par un Africain entre dans ce vaste ensemble que je qualifierais tout simplement de «littérature d'expression française», ce qui me permettrait de mettre dans la même case Michel Houellebecq et Kossi Efoui, Ahmadou Kourouma et Éric Chevillard, Nancy Houston et Fatou Diome, sans pour autant qu'on vienne me lasser avec des discours sur les origines ou le temps qu'il fait dans les pays respectifs de ces auteurs...

Moi aussi je suis l'Amérique

Le Congo-Brazzaville n'a en apparence rien à voir «historiquement» avec les États-Unis puisque mon pays d'origine a été colonisé par la France et que nous parlons le français et non l'anglais. Or je vis en Amérique et, lorsque ce pays contracte une grippe, je suis forcément contaminé par la même affection.

Lorsque je vois un Africain-Américain, il me vient à l'esprit qu'il pourrait être un membre lointain de ma famille et que ce qui lui arrive en Amérique pourrait bien m'arriver un jour ou l'autre. La première puissance du monde demeure encore fragile lorsque ses fondations sont remuées par la question de la race et que le rêve américain se transforme tout d'un coup en une chimère apocalyptique.

L'Amérique a pourtant été le lieu de turbulences historiques pour les Africains-Américains depuis l'esclavage, la guerre de Sécession ou les mouvements des droits civiques, mais ces changements, souvent entérinés par des lois de bonne conscience, ont-ils réellement influé sur la vie quotidienne des Américains et changé

le comportement de ceux-ci à l'égard des Noirs ? On osait
le croire encore, jusqu'à ce que dans la réalité certains faits
tragiques, comme l'assassinat en Floride du jeune Africain-
Américain Trayvon Martin en 2012, nous indignent, avec
notamment un jury qui déclara le Latino-Américain
George Zimmerman non-coupable de toutes les charges,
alimentant du coup l'exaspération dans la communauté
afro-américaine au point que le président Barack Obama
alla jusqu'à dire que s'il avait un fils, celui-ci « ressemblerait
à Trayvon Martin ».

Cela signifiait indirectement que nous étions devant un
crime de faciès, pour ne pas dire, un crime lié à la race et
la perception que nous nous faisons de l'autre. Le Noir qui
se promène la nuit dans un quartier chic d'Amérique est
présumé être animé par des mobiles criminels.

C'est pourtant grâce aux écrivains africains-américains que j'ai appris à chanter l'hymne de la liberté. J'ai
été sensible au mouvement de *Harlem Renaissance*, à l'exil
vers l'Europe de plusieurs créateurs comme Josephine
Baker, Richard Wright, Nina Simone ou Chester Himes
au moment où, en Amérique, le Noir n'avait pas plus de
valeur qu'un meuble sur lequel on dépose les clés de sa
voiture. Je sais ce que la lutte pour les droits civiques a laissé
comme traces dans cette nation : des fêlures qui semblent
s'être cautérisées, mais qui reviennent de temps à autre et
nous donnent l'impression d'un « déjà vu », surtout lorsque
des jurys populaires décident de ne pas poursuivre des
policiers blancs responsables de la mort de Michael Brown
à Ferguson et d'Eric Garner à New York, donnant ainsi

le sentiment que la justice serait plus favorable à l'égard d'une race que d'une autre. Comment ne pas rappeler la mort de Rumain Brisbon assassiné en 2014 dans l'Arizona ou, la même année, de Tamir Rice à Cleveland, un adolescent de douze ans qui jouait avec un faux pistolet ?

Plus de six décennies après ces mouvements des droits civiques, l'Amérique semble revenir au point de départ et détruire cette immense maison bâtie avec endurance par des mains de toutes les couleurs dans l'espoir de vivre dans un monde meilleur.

En tant qu'Africain, j'aurais pu me dire que ces faits ne me concernent pas et sont éloignés des préoccupations de mes compatriotes congolais. Devrais-je alors rester immobile dans « l'attitude stérile du spectateur », comme l'écrivait le poète martiniquais Aimé Césaire dans son *Cahier d'un retour au pays natal* au sujet de ses compatriotes qui subissaient les exactions de la domination française ?

Dès que l'Amérique tremble dans son âme, dans son for intérieur, je relis avec empressement *La prochaine fois le feu* de James Baldwin, et j'entends cet écrivain murmurer :

> « J'imagine que si les gens s'accrochent à leurs haines avec tant d'obstination, c'est en partie parce qu'ils devinent que lorsque la haine disparaît, on n'a plus affaire qu'à la souffrance... »

Et je me pose aujourd'hui la même question que cet auteur à son époque :

« Voudrais-je vraiment être intégré dans une maison qui brûle ? »

Nous avons pourtant le sentiment que l'Amérique a fait des progrès depuis ces années tumultueuses pendant lesquelles plusieurs personnages de grande envergure comme Malcolm X, Martin Luther King ou encore John Fitzgerald Kennedy furent assassinés dans des conditions qui demeurent plus que jamais mystérieuses. Cette lutte pour les droits civiques menée avec opiniâtreté aussi bien par les Noirs que par les Blancs était censée redéfinir « l'identité américaine », amoindrir les discriminations raciales dans un territoire qui, justement, était contraint de composer avec les différentes communautés « ethniques ». Aujourd'hui ce n'est pas tant la définition ou la redéfinition du « Nègre » qui importe mais comment nous perpétuons la soif de liberté qui animait ceux-là qui sont morts pour que nous ayons le droit de nous exprimer, de dire avec le poète Langston Hugues « *I, too, am America* ».

L'Amérique est encore, hélas, un grand chantier dans lequel les matériaux sont disposés dans le désordre et c'est à nous de les rassembler. Pendant que les bavures policières se répètent, la population noire est victime de la fragilité économique (plus de 27 % des Noirs vivent en dessous du seuil de la pauvreté, avec un taux de chômage qui est le double de celui des Blancs). La même population peine encore dans l'accès à l'éducation, à la santé et est plus nombreuse dans les villes les plus pauvres du pays. Il y a donc, à ce sujet, un vrai débat à entreprendre ici et maintenant en vue de repenser la question de l'égalité des chances en Amérique au-delà de la question de la couleur de peau. Et il y aura certainement des voix qui crieront à l'utopie, mais il nous suffira tout simplement de reprendre les mots de James Baldwin pour les convaincre :

> «Ceux qui pensent qu'il est impossible d'agir sont généralement interrompus par ceux qui agissent.»

TABLE

DU MÊME AUTEUR *(suite)*

RÉCITS

L'Enterrement de ma mère, Kaléidoscope, Danemark, 2000.
L'Europe vue d'Afrique, Naïve, 2009.

POÉSIE

Tant que les arbres s'enracineront dans la terre, Œuvre poétique
complète de 1995 à 2004, Points, 2007.

ESSAIS

Lettre à Jimmy, Fayard, 2007 ; Points, 2009.
L'Europe depuis l'Afrique, Naïve, 2010.
Écrivain et Oiseau migrateur, éd. André Versaille, 2011.
Le sanglot de l'homme noir, Fayard, 2012 ; Points, 2013.
Lettres noires : des ténèbres à la lumière, Fayard, 2016.

JEUNESSE

Ma Sœur-Étoile, illustré par Judith Gueyfier, Seuil-Jeunesse,
2010. Prix des Écoles.

Cet ouvrage a été imprimé par
CPI BUSSIÈRE
pour le compte des Éditions Grasset
en juin 2016

Ce volume a été composé
par INOVCOM

Grasset s'engage pour
l'environnement en réduisant
l'empreinte carbone de ses livres.
Celle de cet exemplaire est de :
800 g éq. CO$_2$
PAPIER À BASE DE   Rendez-vous sur
FIBRES CERTIFIÉES   www.grasset-durable.fr

N° d'édition : 19483 – N° d'impression : 2023623
Dépôt légal : septembre 2016
Imprimé en France